SILVIA

ÇA VA ALLER

DE LA MÊME AUTEURE

La Mauvaise Langue, Champ Vallon, France, 1996.
Deuils cannibales et mélancoliques, Éditions Trois, Laval, 2000.

Catherine Mavrikakis

ÇA VA ALLER

roman

LEMÉAC

Ouvrage édité sous la direction de Monic Robillard

Données de catalogage avant publication

Mavrikakis, Catherine, 1961-

Ça va aller

(Collection Roman)

ISBN 2-7609-3245-1

1. Titre.

PS8576.A857C3 2002 C843'.6 C2002-941465-2
PS9576.A857C3 2002
PQ3919.2.M38C3 2002

Leméac Éditeur remercie le ministère du Patrimoine canadien, le Conseil des arts du Canada, la Société de développement des entreprises culturelles du Québec (SODEC) et le Programme de crédit d'impôt du Gouvernement du Québec du soutien accordé à son programme de publication.

ISBN 2-7609-3245-1

4609, rue d'Iberville, 3e étage, Montréal (Québec) H2H 2L9
Dépôt légal – Bibliothèque nationale du Québec, 3e trimestre 2002

Imprimé au Canada

Aux parturientes

1

La machine à café se met à éructer bruyamment à l'instant même où Éva me dit, bien confortablement assise à une table de *La Cantine*, cet ignoble restaurant branché où l'on croit chic de servir des pâtes à toutes les sauces, parce que cela ferait européen : « Tu es un personnage de Laflamme ! Tu es Antigone dans *Allez, va, alléluia.* » « Qui sait ? », c'est ce que je lui réponds à Éva, parce que tout d'abord, je n'ai pas très bien entendu et que c'est tout ce que je me rappelle des titres de Laflamme, et puis je veux avoir l'air justement de savoir, je veux placer un bon mot, sans savoir, sans pressentir que justement, ce que je dis à ce moment précis est exactement ce qu'on appelle un savoir prémonitoire, que de ce non-savoir-là et non d'un autre va découler la suite des événements de ma vie. Je dis : « Qui sait ? », au beau milieu de ce resto pour jeunes parvenus pas mouchés, aux narines encore pleines de coke, dans lequel il règne un vacarme incommensurable où se mêlent au bruit assourdissant de la machine à espresso les rythmes de la musique hip-hop, et où la serveuse, un vague mannequin qui n'a vraisemblablement pris aucun cours de politesse, nous demande si nous voulons autre chose. Ce à quoi je réponds :

« La paix ! »

Mais je ne crois pas que cette grande bringue comprenne le sens de mes paroles, à cause bien sûr de la musique et du bruit pénible, vraiment pénible de la machine à espresso. Elle revient cinq minutes plus tard avec l'addition et un sourire niais, celui que j'ai déjà pu qualifier à tort de crétin en feuilletant quelques magazines de mode. Niais est le mot juste pour parler de ce genre d'expression et je fais part de ces précisions sémantiques à Éva qui me répond en extase: «Tu vois, c'est typiquement Antigone, cette réplique.» Je n'ose plus ouvrir ma gueule de peur de passer pour un personnage de roman et je prends en maugréant l'addition qu'a laissée la grande bringue, quelques secondes avant de retourner auprès de la machine à espresso en se dandinant nonchalamment sur les rythmes groovy.

J'ai lu *Allez, va, alléluia* à l'hôpital après une tentative de suicide ratée où j'avais ingurgité une quantité impressionnante de barbituriques et j'ai absolument détesté ce livre. Je me rappelle très confusément le début: *Tout m'épuise*, et puis plus loin, quelque chose de flou, de vraiment vague et insignifiant comme: *je suis épuisée.* Je ne supporte pas cette héroïne vide, Antigone Totenwald, grande adolescente attardée, monstre d'égoïsme qui souffre de ne pas avoir été assez aimée par sa mère. Je ne peux la sentir, l'Antigone-Lolita, la petite incestueuse qui réclame sans cesse des sépultures pour ses deuils les plus amers, pour tous ses frères de douleur mais qui incite, à la fin du roman, son ami Pablo à se suicider. Elle m'horripile, Antigone, tout comme sa meilleure copine, Danielle-Ange Paradis, geignarde et parfaite, qui meurt sous ses yeux, un jour de printemps, foudroyée par un éclair. Alléluia.

Allez, va, alléluia... Ce titre m'a toujours fait penser à un boa constrictor qui engloutit, gloup, sa proie et j'ai des images du serpent du *Petit Prince* qui traversent immanquablement mon esprit, dès que l'on me parle d'*Allez, va, alléluia*. En fait, il suffit que l'on me mentionne ce titre pour que je pense à un avion.

Celui de Saint-Exupéry et je décolle vers d'autres cieux.

Mais cette fois-ci, rien ne décolle plus et mon moral ne vole pas très haut. Je suis prise d'une envie folle de pleurer, et c'est ce que je fais immédiatement en réglant l'addition à notre serveuse, qui me fixe de ses grands et tendres yeux de veau malade. J'utilise ce terme de « veau malade », même si je ne le trouve absolument pas approprié puisque j'aime beaucoup les animaux et que je ne peux supporter cette fille. J'ai souvent réprimé mes envies et, après ma dernière tentative de suicide, je me suis promis de ne plus le faire. Au moment où la serveuse compatit à mes larmes et alors qu'elle s'inquiète du sort de mon mascara coulant et de mon fond de teint qui dégouline, j'ai l'envie foudroyante de flanquer une paire de gifles à cet ersatz de mannequin. J'ai l'envie terrible de lui montrer que la vie n'est pas seulement faite d'anorexie, d'apitoiements sordides et d'empathie aux problèmes de maquillage. Je lui mets donc une paire de gifles : un « aller-retour », comme ma mère, Sofia-la-salope, a souvent dit, comme ma mère, Sofia-la-sale-femme, n'a jamais manqué de me donner fort généreusement, d'ailleurs.

Cela a un certain effet. D'abord, sur Éva qui se met à rire, parce que là, pour le coup, je suis tellement Antigone qu'il faut absolument ne pas manquer d'expliquer à la serveuse que je lui ai foutu des gifles parce que je suis un personnage de fiction. Ensuite sur la victime elle-même qui se met à pleurer mièvrement, et que, de toute façon, on n'entend presque pas chigner grâce au bruit de la machine à espresso et de la musique qui vient d'entamer un rythme techno. Puis, sur moi, qui arrête pile de pleurer au moment des gifles. Enfin sur les gens du restaurant qui se figent et qui, consternés, admirent la scène, prêts à lyncher la serveuse qui les fait attendre encore une fois et qu'ils gifleraient bien collectivement.

Eux, sans vraie raison.

Le gérant de *La Cantine* surgit et commence à engueuler la pauvre fille qui a, bien entendu, quelque tort et qui devrait retourner à ses clients. Je me mets à défendre cette idiote, je dois expliquer au patron que tout est ma faute, que j'en ai marre de Laflamme, que je n'arrive plus à retrouver les mots du *Petit Prince,* tout engluée que je suis dans *Allez, va, alléluia.* Il nous pousse gentiment dehors, Éva et moi, en nous priant d'accepter ses excuses, ce que je ne veux pas faire, parce que tout est ma faute, je le répète, mais je m'en fiche: je suis un personnage de roman. Je mourrai à la fin. Je me suiciderai et je sais même comment. Mais d'ici là, il va encore m'arriver quelques péripéties, quelques histoires juteuses, quelques moments d'exaltation et quelque profond ennui. Je ne peux pas croire que rien ne va m'arriver. On n'est pas dans une pièce de Beckett et je ne suis plus obligée de parler fort pour couvrir le bruit de la machine à espresso et de la musique hiphop, maintenant que je suis à l'extérieur de cet affreux restaurant de pâtes, puant de snobisme.

Éva me laisse sur le trottoir, sur Saint-Laurent, juste en face de *La Cantine.* Elle est radieuse. Elle vient de relire sans effort la dernière version d'*Allez, va, alléluia.* Elle peut retourner à ses patients, détendue et souriante. Éva est psychanalyste. Elle a besoin d'histoires. Moi, je rentre chez moi dans un état lamentable, désespérée et hagarde et me console en envoyant à Umberto un e-mail lui expliquant ce repas avec Éva et l'indépassable bêtise des fantasmes humains.

Umberto, le soir même, me laisse un message dans ma boîte vocale où il me dit, au milieu de mille petites insignifiances et avec un accent italien qu'il m'est impossible de reproduire correctement tant ces sons m'horripilent: «À propos dé Annetigonnée, jé souis d'accorrd (jé pensé que jé l'ai déjà pensé, ma jé né souis pas soûr). Cé qui est clair, c'est qué toi et Annetigonnée, vous êtes des personnadges intelligents, attachants et souffrrants et qui, heurreusement rrencontrez toujours des gens qui sont moins dans l'excès du moment qué vous. Heurreusement, pour vous, carr ainsi vous pouvez continuer à êtrré dans l'excès.» Ça ne fait ni une ni deux. J'attrape mon appareil téléphonique et je le lance contre la fenêtre. Je prends mon cellulaire, comme je viens de sacrifier mon téléphone, et je compose le numéro d'Umberto:

— Va te faire foutre, sale Italien! Qu'est-ce que tu connais à la littérature québécoise? Et puis, tu ne pourrais pas trouver une autre Antigone, si tu veux faire de moi un personnage? T'as trop lu Pirandello, j'suis pas en quête d'auteur et encore moins d'histoire. T'aurais pu citer Sophocle ou Alfieri et pas un vulgaire écrivaillon comme Laflamme; si je suis un personnage, je veux être un personnage classique, pas la coqueluche du moment, de la décennie ou de la nation. Je veux être là pour l'éternité, tu comprends, capici? Alors tu la remballes, ton

Antigone, sale Italien et vous partez pour Tombouctou ensemble et tu n'oublies surtout pas d'amener Éva avec toi ! Je m'appelle Sappho-Didon Apostasias, tu t'en souviens ou t'es déjà ravagé par l'Alzheimer ? Je suis pas un personnage de roman : je suis un mythe, je suis des légendes, je suis à moi seule le génie de la poésie grecque et un opéra anglais, je suis l'éternité et pas cette petite salope d'Antigone Totenwald, cette grande démodée que trois ou quatre ploucs comme Éva et toi connaissez. Je suis Sappho-Didon, tu comprends ? Tu dois comprendre ; t'as lu Virgile, non ? Je suis Didon et j'attends Énée. Je me suiciderai et je passerai à l'histoire. Et puis, va te faire foutre...

C'est à peu près la teneur de mes paroles et Umberto ne peut en placer une. Je suis prête à lancer la mafia à ses trousses. Quand on a eu une mère grecque, on garde malgré soi certains contacts... Lui, mon ami de longue date, me traiter d'Antigone Totenwald, me dire que je suis dans l'excès ! Et toutes ces conneries ! Me dire que je suis un personnage de roman... et pourquoi pas Nadja ! Parce que le coup de la Nadja, on me l'a tellement fait que cela donne une idée de l'originalité des gens et de l'éventail de leurs lectures. Nadja... On me l'a dit si souvent que je maudirai pour toujours tout le surréalisme. J'ai été la Nadja de combien d'hommes et de femmes qui voulaient gribouiller et devenir de grands écrivains ? « Tu es Nadja : excessive, folle, passionnée. Avec toi, tout arrive. Tu mourras folle, ma chérie. On fera comme Breton, on n'ira pas te voir à l'asile, mais on écrira un livre médiocre qui portera ton nom en encensant ta mémoire et ta capacité au génie. Tu vois ? » Voilà que je ne suis plus Nadja. C'est presque un progrès. Mais je n'ai aucune envie de devenir Antigone trucmuche. Antigone est une fille de la tradition juive. Elle est toute l'implacable histoire d'un monde. Moi, je suis le dernier rejeton d'une lignée d'immigrants ignares. Je suis une fin de race maudite. Je dois l'accepter. Je ne peux que m'inventer, que me renommer sans fin. Et je ricane tristement quand je vois tout l'Occident vendre père et mère pour s'inventer des ancêtres juifs, parce que cela fait sérieux d'avoir perdu quelqu'un à Auschwitz. C'est épouvantable, c'est terrible, c'est lamentable et honteux mais c'est comme cela. Et beaucoup d'universitaires, même certains juifs que je connais, meurent d'envie d'être juifs ou d'être encore un peu plus juifs. Être plus juif leur donnerait une légitimité historique ou théorique, cela leur permettrait de croire qu'ils sont de grands théoriciens dans la lignée de Benjamin ou de Derrida. Freud a inventé l'envie-du-pénis chez la femme, moi j'invente l'envie-du-juif chez l'universitaire... Ma théorie est tout aussi valable que celle de Freud.

Si je suis Antigone pour tous ces ignares-là, je devrais peut-être poursuivre Laflamme pour atteinte à ma vie privée. Au moins, Laflamme, pour sauver sa peau, sera obligé de déclarer que je n'ai rien de commun avec toute Antigone morte, vivante ou fictive, et Éva et Umberto, qui sont bêtement béats devant Laflamme, seront obligés de s'incliner devant la parole du maître et d'avouer qu'ils se sont fourré le doigt dans l'œil. Moi, je n'aime qu'Hubert Aquin. C'est lui l'écrivain québécois. « Le suicidé de la société », comme le dirait Artaud. Je ne vénère que la mémoire d'Hubert le Magnifique. « Mais reviens-en d'Aquin ! » me dit souvent ma copine Lazare, « reviens-en du Québécois blessé, qui nous emmerde même d'outre-tombe avec son suicide, ses livres déprimants et son Québec sans avenir. Reviens-en de ce Québec qui se prend pour un autre. Fais comme tout le monde, décroche ! » J'peux pas. Il n'y a rien à faire : j'peux pas. Aquin, depuis mes premières lectures, c'est mon prophète de la vie maudite. Et même s'il ne promet aucun lendemain qui chante, Aquin, c'est celui qui doit nous tracer la voie. Moi, je n'aime qu'Hubert Aquin. Alors, Laflamme, il peut aller se rhabiller. Il ne lui arrive pas à la cheville à mon suicidé magnifique. Je ne comprends pas du tout l'admiration qu'on leur porte, à Laflamme et à ses semblables, à ces avatars de Réjean Ducharme, à ces idolâtres de l'enfance qui font du Québec une terre d'éternels mioches impuissants. Je n'y comprends rien. Je vais aller lui causer moi à Laflamme, cet écrivain minable, qui a créé ce personnage merdique pour gâcher ma vie, à moi, Sappho-Didon Apostasias.

J'ai mon ami Michaël qui m'a avoué un jour, dans la plus grande solennité, qu'il connaissait l'adresse de Laflamme, mais que, par amour du grand homme, il préférait respecter la solitude de l'écrivain, ne pas enfreindre les lois du génie. Je vais leur en foutre du génie ! Je veux que Laflamme me signe une lettre officielle, certifiant que je n'ai rien à voir de près ou de loin avec son Antigone Machin Chouette, alléluia ou pas. J'extorque honteusement les coordonnées du duplex que hante le génie à un Michaël larmoyant et craintif. Je saute dans ma voiture et me voilà sur la route qui mène au grand Laflamme. J'ai envie de rigoler. Si j'allais sur la tombe d'Aquin, j'aurais peut-être fait un effort, mais pour Laflamme, je ne prends même pas le temps de me maquiller.

Dans ma totote, alors que je me rends dans le nord de la ville, parce que le grand homme a la sottise de vivre à Ahuntsic, je pense à Michaël qui m'a suppliée de laisser l'écrivain en paix... C'est incroyable, ce respect pour Laflamme ! Moi, Laflamme, il me pourrit la vie avec ses personnages qui me poursuivent, et la paix, il ne l'aura pas ! Il n'a qu'à pas écrire de livre.

J'arrive devant chez lui et je le reconnais immédiatement. Voici Robert-Laflamme-tel-qu'on-se-l'imagine. Le grand, grand écrivain québécois. Il est en train de pelleter son entrée de garage. J'ai déjà vu une vague photo de lui et il a passablement vieilli, mais je n'en ai rien à faire des méfaits de l'âge sur le génie. Je sors de ma voiture et vais lui sonner les cloches, moi, au plus grand écrivain québécois qui ne publie même pas ici. Au début, dans les années 60, je comprends encore cette décision, les Québécois étaient illettrés et lui avaient refusé allègrement ses livres, mais maintenant Outremont a grossi, les gens sont tous des bourgeois cultivés et tout le Québec admire le grand homme.

Je me plante devant « le plus grand écrivain de la fin du siècle, le plus important des philosophes de notre temps », comme l'affirme pompeusement Umberto et je commence à lui servir mon petit laïus :

— Que vous ne publiiez pas ici, cela m'est complètement égal... Vous êtes Laflamme, cela vous regarde. Je vous aime pas, j'aime pas vos livres, le Québec est à vos pieds, tant pis pour vous; moi, je cracherais encore davantage sur les gens d'ici, si j'étais vous... Mais enfin, cela, c'est votre affaire. Je suis pas là pour vous. Figurez-vous que depuis ce matin, à cause de vous, je vis une histoire minable, comme une que vous écrivez. Vous voyez, une histoire sans intérêt, mais qui me bouffe, qui me torture. Alors faut que vous m'aidiez, vous, Robert Laflamme, le grand génie québécois. À cause de vous, «j'exsude la terreur et la mélancolie». À cause de vous, je redeviens dépressive, je commence à broyer du noir. J'ai pas envie de rater un autre de mes suicides...

Laflamme-tel-que-le-Québec-le-fantasme me regarde, hébété. Je sens que quelque chose est en train d'arriver, quelque chose d'irrémédiable. Celui que le Québec entier prend pour le plus grand écrivain me coupe la parole et sans attendre me dit: «Vous ressemblez à Antigone... Pas celle de Sophocle, pas celle de Mendelssohn, la mienne... Vos phrases, c'est du Antigone, cela, du Antigone tout craché. Vous vous retrouverez d'ailleurs à la page 28 d'*Allez, va, alléluia* de l'édition Livretto. Vous êtes Antigone, mon Antigone et vous sortez tout droit de mon imagination. On ne peut imiter Mademoiselle Totenwald. Je me suis toujours demandé ce qu'était devenue Antigone adulte, mais maintenant, je le vois. C'est vous, telle que je vous ai créée! C'est moi!»

J'ai envie de lui mettre mon poing dans le visage à cet abruti d'auteur. J'ai envie de lui casser le nez, de lui crever les yeux, de le défigurer un peu, de faire de son visage de la charpie. Alors, quand il ira se présenter pour dire: «Voilà, je suis Robert Laflamme, le grand écrivain, vous pouvez me baiser les orteils et me lécher le cul», personne ne le croira, tellement il ne ressemblera pas aux petites images de lui, qu'il a ignominieusement laissé traîner tout au long de sa vie, en ayant l'air d'être modeste, de ne pas y toucher. J'ai envie de lui faire subir un pire sort que celui qu'Antigone réserve à Pablo à la fin d'*Allez, va, alléluia,* quand elle envoie son ami à la mort. J'ai envie de le tuer, de faire feu sur lui, de le faire souffrir, mais je n'ai pas de fusil... J'ai surtout envie de m'évanouir. Ils me font devenir Antigone, les salauds...

Je suis en train de tout penser à partir de ce maudit livre, absolument minable et sans aucune qualité littéraire. Et je m'évanouis pour de vrai.

Quand je reprends mes esprits, Laflamme-tel-que-nous-l'avons-créé-collectivement est tout près de moi, bras grands ouverts, riant à gorge déployée. Il a l'air soûl. Il pue l'alcool. Il me dit:

—Je suis comme le père Totenwald, page 410 de l'édition Livretto. Il y a quelque chose d'incestueux en moi, de lubrique. Vous vous souvenez... Le vieux Totenwald fait des avances à son enfant. Je suis l'auteur et vous êtes Antigone, vous êtes donc ma fille et cela a quelque chose de très excitant. J'ai envie de vous prendre ici dans la neige. Dites simplement, mon Antigone: «Chienne de vie», comme le dit mon personnage, cela va me faire bander...

Je lui fous un coup de pelle à mon Laflamme-vieille-chimère-québécoise, à ce sale dégoûtant, à ce chien d'écrivain, informe et sans complexe, qui connaît les pages de ses livres par cœur. Et pourquoi s'attarde-t-il à l'édition Livretto? Moi, je déteste Livretto. Cela part en morceaux, en bouillie. La colle ne tient pas. C'est du livre de poche de bas étage. Une vraie cochonnerie, une vraie chiennerie... Merde... Il faut vraiment que j'arrête de penser comme cette grande niaise d'Antigone. C'est ce que je me dis en faisant démarrer ma petite voiture chérie.

Je me mets à réfléchir à toute vitesse: le Laflamme-de-nos-rêves a essayé de me violer... C'est incroyable. Si j'avais la passion des écrivains, j'aurais peut-être accepté. C'est-à-dire que j'aurais fait semblant de ne pas vouloir. Comme je l'ai déjà fait souvent avec les amants de ma mère. C'est une technique qui me vient de Sofia d'ailleurs, lorsque je l'espionnais les soirs où elle me demandait de ne pas sortir de ma chambre. Mais les écrivains, je n'en ai rien à foutre. Tous des impuissants. Et puis, Laflamme, c'est tout de même pas le bout du monde. C'est un écrivain mineur, qui écrit des livres lamentables qui me sont restés dans la tête, comme le refrain d'une mauvaise chanson. Elle est belle, la littérature québécoise ! Elle est bien représentée ! Notre Laflamme est un vieux lubrique qui déneige son entrée de garage. On est vraiment nés pour un p'tit pain.

J'ai décidé d'aller voir Lazare. Lazare est ma seule amie. Petite, noire, sombre, très maquillée, Lazare, il va sans dire, porte malheur. Et elle le porte bien, tout à fait dignement. Sans trop de flafla, humblement. Lazare est un oiseau de malheur. De cela, il ne faut pas douter. Et elle croasse. Croa, croa, croa. Elle vous croasse votre plus sombre avenir dès que vous tentez de lui arracher un mot. Lazare sait votre malheur, elle le voit inscrit dans vos yeux. Elle lit à la surface de votre peau les inscriptions de votre plus terrible destin et votre mort certaine. Votre mort la plus inévitable, Lazare n'hésite pas à vous la dire. J'aime cette fille intensément. J'aime ce petit oiseau de malheur que j'ai connu au collège et qui a prédit la mort de maintes de nos camarades de classe. J'aime cette fille qui, lorsqu'elle a reçu une raclée d'une certaine Camille, qui nous emmerdait prodigieusement dans la cour de récréation, lui a envoyé : « Toi, tu ne vas pas encore nous ennuyer longtemps, avec ce qui va arriver à ton corps bientôt. » Camille mourut deux mois plus tard, dans un accident tragique où elle fut broyée par une machine. Lazare, la veille de l'accident, m'avait prévenue. « Tu penses que je devrais lui dire à cette idiote que sa mort est pour demain, tu penses qu'elle deviendrait intelligente l'espace d'une journée ? » J'avais demandé à Lazare, avant de répondre à cette étrange question, si le fait de prévenir l'intéressée pouvait sauver celle-ci de la mort. Lazare m'avait regardée, incrédule : « Mais, tu rigoles ou quoi. Tu crois que je lance des sorts ? Tu crois que je joue aux dés avec la vie des gens ? Ben, ma pauvre idiote, tu te trompes. Je suis pas sorcière. Je vois le destin des autres. Un point, c'est tout. Je suis en décalage, j'ai quelques heures, quelques jours, quelques années d'avance sur nous tous. C'est deux fois rien. Je suis comme dans un autre temps. Alors, que j'aille lui dire ou non à cette pauvre fille, cela ne changera rien au destin. On ne peut rien contre le destin. Je pensais seulement à son âme, à la rédemption, à Dieu, tu connais ? Mais quant au destin, si j'allais lui dire quelque chose à Camille, c'est seulement parce que cela précipiterait les choses. C'est bien connu, Didon, ce truc-là, c'est l'histoire d'Œdipe. Je croirais contrôler les choses, mais je ne serais qu'un petit instrument de la vie, un truc presque superflu. Le destin ne s'annonce que pour frapper plus fort. Et si je suis là pour voir, c'est simplement parfois parce que le destin a besoin d'agents. Mais que ce soit moi ou le vent, cela n'a aucune importance. Je ne suis pas sorcière, Didon, tu sais, je suis juste une voyante. Une illuminée. Et toi aussi, un jour, quand tu auras des prémonitions, tu verras combien ce n'est pas facile. Combien c'est difficile d'être à côté de quelqu'un dans la rue et de sentir sa mort ou sa peine à venir. Cela demande une sacrée éthique. N'empêche que demain, on sera débarrassées de Camille, et que c'est tant mieux. »

C'est comme cela qu'elle coupa court à mes questions, la Lazare, c'est comme cela qu'elle en a toujours fini avec moi. En me lançant en pleine gueule une parole bien sentie, bien forte à laquelle je n'ai jamais su quoi répondre. Camille mourut en effet comme prévu et, depuis cet événement, Lazare est devenue ma meilleure copine. Elle vit retirée du monde. Passe ses journées dans ses maux de tête, ses migraines ophtalmiques et son cancer. Elle ne peut presque plus supporter l'étouffante présence de l'avenir. C'est devenu une tumeur au cerveau, tout ce futur-là. Lazare sait qu'elle va mourir. Mieux que quiconque. Et cela la fait rire. Elle me raconte souvent sa mort en détail. Son agonie. Elle se voit si ridiculement fragile au moment de la mort, et cela la fait rire aux éclats. « Quel manque de courage, que j'aurai, Didon... Quel manque de rigueur... Je vais mourir dans l'indignité la plus totale. Mais bon, je peux te le raconter. Tu ne seras déjà plus là, depuis longtemps. » Moi, je vais la voir de temps en temps, pour qu'elle me voie. Pour qu'elle me dise ce que je dois faire. Pour qu'elle m'annonce le moment de ma mort. Mais à cela, elle dit toujours et fermement un non catégorique. Elle refuse de me dire quand je vais mourir. Elle le sait, me dit-elle. Et bien sûr, je la crois.

Souvent, j'ai eu de ces fulgurantes prémonitions. Ces vertiges de l'au-delà qui ont fait en sorte que je devenais paralysée, muette, abrutie. Pour être pythie, il ne faut pas être d'une intelligence supérieure. Il faut au contraire se laisser aller à la bêtise de l'instant. Il faut recevoir le moment, porteur en lui du sens à venir. C'est complètement épuisant. C'est la maladie d'une copine, c'est la mort d'un collègue, c'est la naissance avortée d'un nouvel être, c'est tout cela qui est larvé dans l'éclair du temps, dans la seconde présente. C'est cela qui fait se déployer, seulement pour ceux qui voient, les parchemins du futur. Lazare, elle, me voit. Et dès que j'arrive pour l'emmerder avec mon histoire d'Antigone, elle me dit : « Écoute, Didon, c'est vachement important pour toi, ce qui va se passer bientôt. Tu le sais. Et encore mieux que moi. On sait ces choses-là. T'aimes pas Laflamme. Ben, va falloir que tu révises tes positions. Mais pour le moment, bats-toi. Résiste à ton destin. T'as jamais fait que ça. Et tu vois où ça t'a menée. Direct à ton destin. Résiste donc au monde entier. C'est ça que t'es : une résistante. Plonge-toi dans les livres. Continue à emmerder la planète. Et ça va marcher. À la fin de cette histoire, tu seras morte; tu l'as compris, bien avant moi. Mais on ne meurt pas tout de suite, ma belle. Il y a bien des vies à vivre et même à donner. Allez, Didon, allez Sappho, fourbis tes armes, pars en guerre, ma Jeanne d'Arc de la vie. Tu as raison, cela finira mal. Cela finira comme tu veux. » J'écoute Lazare. Je sais qu'elle a raison. Je sais que c'est comme cela. Je n'échapperai pas à mon destin, mais seulement à ma vie.

2

J'ai conçu un plan. J'élabore toujours des plans. Je suis une fille à plans, à mauvais plans, mais je ne vais pas me laisser marcher sur les pieds, il n'y a rien à faire. Je me dirige vers l'université. Je ne sais pas exactement comment je vais m'y prendre mais je suis bien décidée à foncer dans le tas... J'ai passé toute la fin de semaine sur ce livre mineur intitulé *Allez, va, alléluia*. J'ai appelé au travail, je me suis fait porter malade et j'ai lu et relu. Je connais le personnage d'Antigone-la-connasse par cœur. Elle me dégoûte, me donne carrément la nausée, cette fille. Je la trouve ridicule, prétentieuse et moche. Elle n'a aucune consistance psychologique. Elle est toute douceur ou toute dureté. Elle se meut dans la pureté du blanc ou dans l'absolu du noir. Jamais dans le gris. Jamais dans le flou. Comment croire à un tel personnage ? Il n'y a pas à dire : le Laflamme-de-vos-vains-espoirs, c'est vraiment un écrivain nul ! Il ne connaît rien aux gens. Sorry ! Mes excuses, s'cusez, comme on dit, à toute l'intelligentsia québécoise, mais vraiment votre écrivain, quel tire-au-cul... Et c'est pas parce qu'il a essayé de me violer que je dis cela... Non, je le pensais bien avant. D'ailleurs, je n'en ai rien à faire qu'il ait essayé avec moi. Ce n'est pas le genre de choses qui m'impressionnent. Il faut faire plus original, Monsieur l'écrivain.

C'est en relisant son roman débile à ce Laflamme-tel-que-l'élite-communie-en-son-nom, alors que je m'ennuyais mortellement, que j'ai fabriqué mon plan. Je vais aller voir un spécialiste de Laflamme, quelqu'un qui s'y connaît en conneries laflammeuses. Un universitaire qui fait de la théorie sur les médiocrités actuelles. Un laflammien pur et dur, quoi. Parce que Laflamme, je ne crois pas qu'il ait le dernier mot sur son œuvre. Depuis quand les livres appartiennent-ils à leur auteur ? Depuis quand l'auteur est-il calé en matière littéraire ? Si les écrivains étaient savants, cela se saurait. Ils seraient professeurs d'université. Non, ils se contentent d'écrire des livres médiocres, parce qu'ils n'ont rien à dire sur les livres des autres. Je n'aime que les critiques. Voilà... Les écrivains : des incapables.

J'ai fait de la recherche sur Internet. Que de laflammeux au pays ! Enfin, j'ai pesé le pour et le contre, j'ai lu mille articles, et j'ai trouvé le grand spécialiste, « The Specialist » d'*Allez, va, alléluia*. Celui qui a publié trois livres rien que là-dessus. Une vraie passion. Cet homme doit être un imbécile, je le sens. Consacrer sa vie à Laflamme et à ce livre répugnant, cela demande une certaine dose de connerie. Mais bon, lui me dira rapidement qu'Antigone Totenwald, ce n'est pas moi et que je suis davantage Madame Bovary, comme Flaubert. On a tous un petit côté Emma. Moi la première, même si je trouve que la fin de cette femme est particulièrement lamentable.

Ce grand spécialiste de la littérature québécoise est un Américain. Il enseigne à Montréal. Et comme je l'ai vu sur son site web, il est né à Dallas en 1957. Cela tombe bien, j'aime le feuilleton... A-t-il un côté JR ? Moi, j'aime la littérature américaine ou étrangère. C'est bien mieux que celle que l'on fait ici en ce moment. On écrit mal ici: on est si complaisants. La critique est épouvantablement besogneuse, sans aucune envergure. Sans aucun sens critique... Mais bon, cela, je le dis trop souvent. Récemment, j'ai lu Thomas Bernhard. Quel grand écrivain ! Quelle rage contre son pays ! Quelle férocité contre la médiocrité ! Mais quelle lucidité ! J'aime aussi, bien sûr, Handke, Kristof, Faulkner, Capote, Carson McCullers. Eux, vraiment ils savent écrire. Ce n'est pas comme ce minable de Laflamme-chimérique. Ce cloporte de l'écrit. Cet obsédé sexuel. Cet homme incestueux qui a voulu coucher avec sa fille, par procuration et en se dédoublant dans un de ses personnages, à la page 410 de l'édition Livretto. Je vais leur montrer, moi, que je suis loin de « l'univers poético-onirique » de Laflamme, selon l'expression consacrée que j'ai lue *ad nauseam* dans les livres et les articles durant la fin de semaine. Je suis Sappho-Didon Apostasias, cela suffit, non ?

Quand j'arrive au Département de littérature française (pas québécoise ou francophone, noblesse oblige), les secrétaires me disent que le professeur Harold C. McQueen n'est jamais là le lundi matin, qu'il arrive en général vers midi et que de toute façon, il ne reçoit que sur rendez-vous. Il n'y a pas à dire : les professeurs d'université ne foutent pas grand-chose. Ils attendent chez eux, bien au chaud, l'inspiration. Quand j'étais étudiante en études allemandes au début des années 80, il fallait presque que je leur donne des rendez-vous galants pour pouvoir les rencontrer. Je déclare aux deux chiennes cerbères qui gardent les portes de l'enfer universitaire que je vais l'attendre, anyway, le docte professeur McQueen, que je vais me mettre juste devant sa porte et qu'elles ont intérêt à m'indiquer ladite porte, parce que je mords, moi aussi, et que j'ai de meilleures dents qu'elles. Une des filles se décide à me donner le numéro du bureau du ponte, spécialiste de Laflamme. Mon Dieu que les femmes sont serviles ! Elles sont prêtes à défendre n'importe quel patron, n'importe quel prof de mes deux ! Quelles tartes !

Je m'installe et attends patiemment l'arrivée de mon sauveur. Mon cellulaire se met à sonner. C'est Umberto qui veut me voir pour m'expliquer qu'il a fait une découverte on ne peut plus emberlificotée... C'est de la psychologie de quatre sous qu'il me sert, Umberto... De la psychologie laflammienne. Cela me prend la tête : mes relations avec ma sœur sont incestueuses comme celles d'Antigone avec son connard de cousin Jean Saint-Jean, ma mère est Crèvemamère, le personnage qui incarne la froideur de la maternité laflammienne et lui, Umberto, il est un peu ma Danielle-Ange Paradis à moi, c'est-à-dire ma fidèle confidente, mon amie de cœur. Comme je n'ai jamais eu de père, il ne peut pas bien se prononcer sur le père Totenwald. Mais le spectre de mon père doit avoir quelques caractéristiques un tantinet calquées sur les traits du vieux Totenwald, l'autoritaire. Il débite ses bêtises, Umberto, en essayant de me convaincre de sa perspicacité psychologique. Je ne lui ai, bien sûr, rien raconté au sujet de ma rencontre avec le génie. Je ne veux pas qu'il pavoise. Je n'ai pas envie qu'il veuille baiser en pensant qu'il passe par là où son Laflamme a failli passer. Cela l'exciterait trop, ce sale Italien...

— Tu m'aimés, non; ze souis ton Ange Paradis, tu té souviens ? me demande-t-il langoureusement au bout de la ligne.

— Si t'es Danielle-Ange Paradis, au moins aie la décence de finir comme elle, de te faire foudroyer par un gros éclair divin et qu'on n'en parle plus. Je n'irai pas à ton enterrement et je ne porterai pas le deuil... Si tu reparles de ma relation à ma sœur, je te donne le sida. T'en auras pas pour longtemps. Et puis, écoute, je veux plus coucher avec toi, cela m'emmerde. Tu comprends ? Va te faire foutre... J'ai jamais aimé cela. C'est juste parce que je m'ennuyais. C'est juste parce que je suis seule dans la vie et que j'ai peur. J'ai tellement peur... J'ai peur de la solitude, de mourir seule ou encore de vouloir me foutre en l'air en me ratant encore une fois, une fois de plus, une fois de trop. C'est juste pour cela que j'ai couché avec toi. Parce qu'au fond tu me dégoûtes. Mais pas plus que les autres. Pas plus que je me dégoûte moi-même.

Umberto pleure au bout de la ligne. Je l'assassine :

— Et je préférerais coucher avec le grand Laflamme-ce-pelleteur-de-nuages que de recoucher avec toi. C'est dire...

J'appuie sur le bouton pour éteindre le cellulaire, je débranche tout. Umberto ne peut plus rappeler.

J'espère qu'il va avoir la décence de se suicider, et discrètement à part de ça. Je suis assise devant la porte de Harold C. McQueen ; je mets le téléphone dans mon sac et je lève les yeux pour m'apercevoir que juste au-dessus de moi se trouve un superbe Américain aux yeux bleus et au sourire resplendissant de bêtise... Il me tend la main pour m'aider à me relever et me dit avec un délicieux accent qui me désarme :

— Je vous ai entendu parler de coucher avec Laflamme. Est-ce de Robert Laflamme dont vous parliez ?

J'ai dû hurler ma conversation avec Umberto. Je ne suis pas du genre discrète, beaucoup me le reprochent, mais devant cet Américain j'ai envie d'être du genre à parler tout bas, du genre à lui murmurer des choses douces et cochonnes à l'oreille. J'ai envie de proximité, de mots tendres, de disputes, de bagarres et même de sexes durs.

Quand j'étais enfant, j'étais toujours douce. J'aimais tellement ma mère que je voulais mourir. Tous les samedis, je lui rasais les jambes, je les lui caressais longuement, j'avais toujours envie de lui caresser les jambes, je la trouvais si belle, si caressable... Le dimanche, je lui faisais les ongles, c'est-à-dire que j'appliquais lentement, très lentement, du vernis à ongles vieux rose ou encore rose nacré sur ses doigts de pied si parfaits et sur les ongles de ses blanches mains. Je faisais cela si minutieusement. Avec application... Il n'y avait que moi qui savais le lui faire. C'est ce qu'elle me disait, ma mère, et je voulais disparaître pour elle, pour être comme elle. Je me voyais comme un déchet, un petit tas de merde, une insulte à sa beauté. J'étais si laide, si repoussante et elle était si somptueuse, si inaccessible. Je me rappelle un soir où il fut question d'aller avec elle à un concert. Ce soir-là, j'ai tellement pleuré, je n'étais qu'eau, j'étais le Saint-Laurent dans son immensité. Et en un sens, je n'ai jamais arrêté de pleurer depuis. Ça pleure toujours en moi. Je ne peux pas fermer le robinet. Mais comme je ne peux pas pleurer tout le temps, je crie, je hurle, il faut que cela s'épanche.

Voilà que je m'enfarge dans l'histoire et que j'oublie mon propos : ma mère-la-salope. Elle avait donc reçu des billets d'un de ses amants, qui l'avait laissé tomber à la dernière minute sans rien lui réclamer. Ce qui était déjà pas mal, vu le calibre de ses amants, tous des trous du cul, des culs-terreux, des gars sans envergure, des violeurs, des pédophiles, qui m'ont sautée, moi, des milliers de fois. Des Laflamme-tels-que-nous-les-rêvons, quoi... Ce soir-là, le soir du concert, ma mère m'a regardée, moi la petite rabougrie, maigrichonne, moi le petit arbre aux branches trop fragiles, et après m'avoir toisée et inspectée, elle a dit: «Viens, OK, ça peut aller.» Elle m'a ordonné de mettre la robe que j'avais portée au mariage d'un de ses frères, un de ces mafieux grecs infects et incestueux de Parc-Extension. La robe était trop petite, beaucoup trop petite. Mon corps déjà si ingrat avait l'air difforme. J'avais mal, très mal. Parce que je lui faisais honte à elle si belle dans sa robe lilas. J'avais mal d'exister. Elle aurait dû réussir son avortement. Elle aurait dû me faire passer, parce que de toute façon, je serai toujours un avorton. Il n'y a rien à faire. On a la mémoire de ce que l'on a failli être. C'est même ça ce qu'on devient à mesure que le temps passe. Je suis un avorton qu'on n'a même pas immolé. Ce soir-là, devant l'horreur de moi-même, devant tant de laideur, j'ai fait semblant que je n'allais pas bien; j'ai dit à ma mère que j'avais comme un début de grippe. Je ne voulais pas lui faire honte. Moi, le vilain petit canard, le déchet vivant, la merde prête pour la poubelle du temps, je ne voulais pas que ma mère arrive à la Place des Arts avec cette agrès que je serai toujours, dans ses yeux à elle, dans mes yeux à moi. J'ai dit à ma mère, sans la regarder et en m'empêchant d'éclater en sanglots: «J'peux pas aller, chus pas bien. Amène Olga-Mélie, elle est assez grande maintenant et ça lui fera plaisir.» C'est ce qu'elle fit, la calice d'écœurante, la salope, la cibole (j'ai lu cela dans *Hosanna*. Hosanna, elle parle comme ça de sa mère. Cela m'a impressionnée. Tremblay, lui, au moins, il connaît le vrai monde et la psychologie). Anyway, ce soir-là, ma mère et Olga-Mélie sont parties, et après rien n'a été pareil.

C'est là qu'Olga-Mélie-ma-mie et moi, on a commencé à « coucher ensemble », comme mes cousins disaient de nous... Ils ont parlé aussi d'inceste, mais c'est ridicule. On n'a même pas le même père. Et puis, il faut bien dire qu'Olga-Mélie est blonde, longue et jolie, alors que moi je suis noiraude, malingre et moche. Et si ce n'était pas ma sœur, Olga-Mélie-ma-mie, j'aurais quand même couché avec elle, parce qu'on s'aime et qu'on s'aimera toujours. Cela fait chier les gens. Ils en crèvent de jalousie et tant pis pour eux. C'est ce soir-là, quand Olga-Mélie est revenue de la Place des Arts, que notre amour a bien commencé, parce qu'Olga-Mélie-ma-sœur, Olga-Mélie-belle-comme-un-cœur a compris toute ma peine et qu'elle s'en voulait d'être sortie avec l'hostie-de-chienne (c'est comme cela qu'elle appelle ma mère). Olga-Mélie s'en est voulu, parce que la Place des Arts la dégoûte et que cela l'horripile de voir les gens y promener leur snobisme. Et puis de voir l'hostie-de-chienne se prendre pour une bourgeoise, elle qui est la fille d'un immigrant tellement pauvre que cela ne se dit pas, ça lui a donné envie de vomir à Olga-Mélie. De vomir sur l'hostie-de-chienne. Et je crois maintenant que c'est elle, Olga-Mélie, qui a raison. Maintenant que l'hostie-de-chienne est morte et qu'elle est partie sans même vouloir me voir, sans me demander pardon, sans même me regarder, je pense qu'Olga-Mélie a raison, mais je ne lui dis pas. Je ne veux pas qu'elle ait une trop mauvaise image de l'hostie-de-chienne, je veux qu'elle ait une « imago maternelle », comme le psychiatre nous a dit une fois à Olga-Mélie et à moi...

Ce soir-là, toujours est-il que l'on s'est consolées, qu'Olga-Mélie m'a appelée pour la première fois « ma petite traumatisée ». C'est aussi depuis ce temps-là qu'Olga-Mélie est lesbienne. Rien à faire, elle ne veut jamais coucher avec un homme, ça la dégoûte presque autant que la Place des Arts, et Laflamme, s'il s'était essayé sur elle, elle l'aurait castré, et vite. Elle fait partie des Lesbian Avengers et connaît le manifeste de Valérie Solonas par cœur: *Society to cut up men.* On ne rigole pas avec ma sœur... Et parfois, je crois qu'elle a raison de détester tout le monde et surtout les hommes, mais je me dis que la personne qui m'a fait le plus de mal dans ma vie, c'était l'hostie-de-chienne et que l'hostie-de-chienne était une femelle et que donc les choses ne sont pas simples, pas si simples qu'Olga-Mélie-ma-sœur le pense. Mais cela est une autre histoire.

Ce que j'écris, c'est d'un confus, cela va dans tous les sens. C'est nul. J'ai lu trop de Laflamme, cela déteint. C'est mauvais, vraiment mauvais. Je vais me mettre à lire des grands écrivains. Pas les ratés de la littérature. Du Anne-Marie Alonzo, du Nicole Brossard, du Martine Audet. Olga-Mélie-ma-mie et moi les adorons. Ce sont des grands écrivains. Des grands écrivains qui écrivent bien, qui écrivent grand.

Je suis assise dans le couloir et l'Américain me tend la main pour m'aider à me relever. Je suis en train d'oublier que je suis là à cause d'Éva, qui doit être à un séminaire sur l'inconscient, à cause aussi d'Umberto qui, je l'espère, va avoir la décence de se suicider discrètement avant la fin de cette histoire, à cause enfin de Laflamme-de-nos-plus-beaux-rêves-québécois que je n'ai pas voulu faire bander et qui doit être encore en train de pelleter son entrée de garage, puisqu'il a neigé cette nuit. Il serait mieux de relire ses textes, cet abruti, plutôt que de s'occuper de la neige et de violer ses personnages. Il a du boulot, s'il veut devenir un grand écrivain. Mais cela ne me regarde plus.

Et dire que l'Américain qui me tend la main écrit sur Laflamme et est spécialiste de ses écrits. Olga-Mélie me dirait de me méfier de lui, que je ne dois tomber amoureuse de personne. Mais dans ce couloir de l'UQAM, où l'Américain me sourit de ses belles dents blanches, mon cœur se met à battre très fort. Il est aussi beau que ma mère, l'hostie-de-chienne, et je suis déjà prête à me faire traumatiser. Juste un peu. Juste une fois.

Écoute, Olga-Mélie-ma-mie, je suis désolée, mais je crois que je suis en train de tomber amoureuse de cet Américain minable qui doit voter non aux référendums. Le gringo est comme ma mère l'aurait voulu: beau, intelligent, cultivé, en faveur de l'universalisme mondial et sûrement marié. Ça, je l'ai compris, ma petite Olga-Mélie, dès qu'il m'a tendu la main dans le couloir. Il avait un je-ne-sais-quoi des hommes mariés. Ce n'est pas que je connaisse bien cette espèce, mais ma mère, l'hostie-de-chienne, avait l'habitude d'avoir toujours des hommes mariés comme amants. C'est pour cela qu'elle était obligée d'aller à la Place des Arts toute seule, ou avec une de ses filles. C'est comme cela qu'Olga-Mélie-ma-mie et moi, on est devenues amoureuses l'une de l'autre et c'est comme cela qu'Olga-Mélie-ma-sœur, tu es devenue lesbienne. Les hommes mariés, c'étaient toujours eux qui couchaient avec moi, parce qu'on aurait dit que leur femme et leur maîtresse, ma mère, plus connue sous le nom de l'hostie-de-chienne, ne leur suffisaient pas. Il leur en fallait plus. Non pas parce qu'ils avaient une grande libido. Au contraire. Mais parce qu'ils s'emmerdaient tellement dans leur vie de mariage et d'adultère, qu'une gamine, cela mettait un peu de piquant à la chose. Tous des sacrés-gugusses-à-la-Laflamme, je le dis, je le répète... Mais au moins, ils ont le bon sens de ne pas s'étaler dans leurs livres.

— Oui, c'est avec Robert Laflamme que je ne veux absolument pas coucher et ça jamais, vous m'entendez, Harold C. McQueen, jamais. D'ailleurs, mais que cela reste entre nous, je pense que Laflamme-tel-qu'en-lui-même-un-peuple-entier-l'adule est plus ou moins impuissant, qu'il ne couche qu'avec ses personnages, si vous voyez ce que je veux dire...

En disant tout cela, je me suis levée et je suis tout contre, tout contre le professeur McQueen. J'ai planté mes yeux dans l'espace éblouissant de son regard bleu. Il est là devant sa porte de bureau, et entre la porte et lui, il y a moi, moi qui ai envie de lui faire une déclaration d'amour qu'il ne comprendrait vraisemblablement pas. Il a l'air superbement idiot, cet Américain, et moi, je le regarde en tremblant comme une petite feuille. Moi, je suis subjuguée d'être aussi amoureuse. Moi, je pense au mal que je vais faire à Olga-Mélie et peut-être à moi-même. Moi, je regarde avec défi ce laflammien, parce que je sais que, de toute façon, je serai à la hauteur de mon amour et que s'il ne veut pas de moi, je le tuerai avec un gun, un couteau, ou une crow-bar d'ici la fin de ce roman. Juste avant de mourir, moi-même.

C'est avec ces pensées en tête que je regarde le professeur Harold C. McQueen, et va savoir s'il lit dans mes pensées et s'il sent mon corps trempé, va savoir s'il entend le bruit de mon cœur prêt à éclater, mais il me dit:

— Si vous vous déplaciez un petit peu et que vous bougiez légèrement votre sac, je pourrais ouvrir la porte et on entrerait dans mon bureau. Vous m'expliqueriez tout et on parlerait tranquilles, OK?

Il est si calme, mon bel Américain, que je suis au bord de l'extase, et ce, même si son bureau est décidément moche, impersonnel, plein de classeurs et de livres ennuyeux. Je le sais au premier coup d'œil quand les livres sont mauvais. C'est pas difficile. Je reconnais un mauvais livre à sa couverture et aussi à l'édition. Livretto, par exemple... Y a-t-il quelque chose de plus ennuyeux que les livres dans Livretto? Et ce n'est pas seulement à cause du fait que Laflamme publie là, même si c'est sûr que cela n'aide pas la cause.

Donc, j'entre dans ce bureau typiquement professeur d'université américain où la seule petite coquetterie, à première vue, est une photo de Laflamme, une des rares images du maître. Je distingue aussi un dessin horrible d'enfant. Ce dessin accroché là, cela pue « l'enfance magnifique, innocente », tout le blablabla visqueux, tout le discours sirupeux sur l'enfance, tout l'imaginaire laflammeux. À d'autres, qu'il faut aller raconter ces merdes-là... « Les enfants ne sont pas encore pourris par le système. » Il y a juste des adultes pourris qui peuvent fantasmer sur l'enfance, parce que cela les légitime d'être pourris. C'est cela que je ne peux supporter chez Laflamme, c'est cet éloge de l'immaturité, c'est cette sempiternelle gaminerie de ses personnages, ce mythe si québécois d'un monde puéril, violemment rebelle et innocent. Dans la littérature québécoise, il n'y en a que pour les enfants. On les retrouve partout. On les adore, les adule, ils sont tout-puissants, merveilleux, grandioses. Ils ne sont pas touchés par la laideur du monde. Comme si la pourriture était une caractéristique de l'âge! Est-ce que la littérature québécoise va grandir un jour ? Est-ce qu'on va se débarrasser de ce Laflamme-là, de nos rêves de gosse et de notre imaginaire qui sent la barbe-à-papa ? Est-ce qu'on va arrêter de protéger les mômes, d'en faire les héros d'un Québec à venir, alors qu'on les laisse se suicider tranquillement en écrivant sur leur capacité d'émerveillement, sur leur pouvoir de transformer le monde ? Est-ce qu'on va stopper le délire ? Écoutez, je vais vous expliquer, moi, Sappho-Didon, je vais vous apprendre la vérité : les enfants, c'est aussi moche que les adultes, c'est aussi dégueulasse, aussi pourri, aussi exécrable et surtout aussi désespéré. Point. L'humanité devrait disparaître. C'est tout. Et je dis cela sans la moindre exagération, bien sûr. Mais si l'on veut écrire sur les enfants, qu'on en dise au moins des choses vraies, des choses dures et tragiques, que les enfants de toujours se mettent à vieillir. C'est comme cela la vie. Tout à coup, on devient vieux. Je veux que la littérature québécoise prenne de la bouteille. Cela leur ferait du bien aux enfants. Mon opinion ne compte pas, mais je ne peux m'empêcher de dire qu'il y a juste des imbéciles, comme le grand-Laflamme-de-la-nation-québécoise et sa clique d'écrivains, pour décrire ainsi les enfants et les personnages d'enfants.

Harold C. McQueen a une maîtresse. Il n'y a que les pères de famille coupables pour afficher les dessins minables de leur affreuse progéniture. S'il n'y a pas de photo de sa femme dans le bureau, c'est que sa maîtresse est une étudiante. Autrement, ce genre d'hommes, cela a une photo de la femme dans le bureau. Cela légitime la job. Cela donne de l'importance. C'est comme dire : « Voici mon bureau, le dessin dégueulasse de ma fille et cette photo de ma femme que j'ai prise lors d'un séjour en Espagne. Ma femme est charmante, non ? Je la trompe, mais notre relation est respectable et bien sûr, elle ne le sait pas. Elle a l'air heureuse, naïve et conne, non ? » La maîtresse n'a pas été recrutée parmi les secrétaires. Elles sont trop prolos pour lui. Je les ai vues tout à l'heure. Il faut à Harold une étudiante bon chic, bon genre, moins bien que sa femme, mais plus jeune.

La maîtresse-étudiante garde d'ailleurs la fille ou le fils du couple, et le mari va reconduire l'étudiante chez elle, après les sorties des époux McQueen-trait-d'union-quelque-chose... Les hommes, cela reconduit les baby-sitters, en général. C'est comme cela que Dieu les a créés. Et les femmes, cela reste à la maison, cela retourne vite embrasser les sales mômes qui ont fait des dessins dégueulasses avec la baby-sitter, étudiante et maîtresse du père. Cela ne prend pas un doctorat sur Laflamme pour comprendre cela. Il n'y a même pas besoin de lire Laflamme pour comprendre la psychologie humaine. Il y a juste à avoir un peu de fierté, alors on se met à penser aux autres, pour ne pas descendre aussi bas qu'eux. Comprendre les autres, c'est juste les regarder vivre, dans la peur, l'horreur d'être comme eux. Je fais tout pour ne pas être aussi vile que les autres, alors je les regarde vivre. C'est Olga-Mélie qui m'a appris cela. Mais elle, c'est une vraie de vraie, pas une tendre comme moi, pas une faiblarde amoureuse du premier crétin venu.

Je sais aussi qu'Harold C. McQueen n'a qu'une seule maîtresse. Mais bien sûr, parfois, il se permet des aventures en voyage, en allant parler de Laflamme dans une conférence aux States. Sa femme ne l'accompagne pas toujours : il faut que les enfants soient bien élevés et pas traumatisés et qu'ils continuent à produire des dessins horribles que leur père affichera à son retour dans son bureau. HCMcQ est lâche et je me demande si je vais pouvoir en faire un héros. Je ne sais vraiment pas. Je pourrais l'aimer, bien évidemment, mais cela ne m'empêche pas de voir d'avance tous les malheurs qu'il ne sait pas qu'il me prépare. Cela ne m'empêche pas de voir sa lâcheté. Dans cette histoire que je suis en train d'écrire, où je me débats de toutes mes forces contre le personnage d'Antigone, je vais bientôt être happée par l'univers de Laflamme. Ce récit finira mal. Et si HCMcQ n'est pas à la hauteur du drame que je suis en train de lui concocter, je le tuerai rapidement et peut-être même avant la fin. Juste avant de me tuer. Alors, on pourra dire que c'est un roman inachevé que nous aurons écrit, un roman bâclé, presque un Laflamme, justement.

Harold, mon amour, aide-moi. Tu ne le sais pas encore, mais tu vas devoir te comporter comme un héros et cela, mon amour, je ne sais si tu en es capable. Je m'excuse de te le dire, mais je ne sais pas mentir. Ça, tu vas l'apprendre, bientôt. Tu as beaucoup lu, mon amour, tu es spécialiste de littérature, de Laflamme, alors prends un grand modèle, deviens un super-héros, mon amour : Spiderman, Tarzan ou quelqu'un du genre. Ou encore deviens un personnage tragique : Oreste, Andromaque, Antigone (celle de Sophocle, s'il te plaît). Ne reste pas, je t'en supplie, dans ta mauvaise pièce de Feydeau, dans ton film à petit budget sur l'adultère, dans ton documentaire sur les mœurs des profs d'université. Deviens D'Artagnan, Raskolnikov, les frères Karamazov ou encore le Nez de Gogol. Deviens Divine de Genet. S'il le faut, fais-toi homosexuel ou travesti, mais ne reste pas là dans ton histoire à quatre sous, qui fait honte à la littérature. Je t'en conjure, mon amour, sois à la hauteur de notre amour. Tue-moi avant que je ne te tue. Ou encore, chevalier, occis femme, enfants, maîtresse.

Tu peux même les faire souffrir. Cela leur donnera une certaine épaisseur, une certaine profondeur psychologique. Ce sont des personnages vides, même pas dignes de Laflamme, c'est dire... Même pas dignes de *Dallas*, le feuilleton de la ville d'où tu viens, mon amour, et où tu m'amèneras un jour. Tu débarqueras chez moi un jour avec des billets d'avion et tu me diras : « Didon, ma poupoune, fais ta valise, on s'barre, on saque notre camp. Je t'emmène à Dallas, et ce week-end on se marie, tu me dis oui et je te dis oui. On s'aimera tout le week-end. Et tu seras à moi pour l'éternité. » Je n'aurai pas besoin de me jeter d'une falaise ou de me suicider, parce qu'Énée-l'étranger m'a plaquée pour aller fonder je ne sais plus quelle cité. Mon destin aura basculé. Je ne serai plus jamais la petite traumatisée et même si Olga-Mélie se met en colère de ne plus pouvoir m'appeler ainsi, tes cris dans la nuit, tes appels dans le soir, mon nom de Didon crié par toi à travers Venise, Calcutta, la Chine du Nord et même Dallas me feront tout oublier du passé. Harold, mon amour, tu seras le vice-consul de Duras et tu tireras sur les lépreux et les chiens, sauf sur le mien. Tu seras si amoureux de moi que t'en crèveras. Et si tu ne crèves pas d'amour, Harold, mon amour, c'est moi qui te tuerai. Je te kidnapperai et te laisserai mourir de faim, afin que tu souffres ou encore je te massacrerai à la scie. Mon amour, ne me laisse pas mettre notre amour en morceaux, ne me laisse pas faire de toi de la bouillie. Sois un héros.

C'est pendant cette longue et vaine prière que j'adresse mentalement à mon bel Américain, que le téléphone beige du bureau se met à sonner et résonner. Ce coup de téléphone, ce n'est pas l'appel du destin. Je ne suis pas dans une tragédie. Je suis dans un mauvais

Laflamme. HCMcQ répond donc au téléphone pendant que je ne prends pas place sur la chaise qu'il me désigne d'un signe du menton. Je reste debout. Je suis comme ça, je n'aime pas m'asseoir. J'ai envie de pleurer, comme d'habitude quand je m'emmerde et Dieu sait que je m'emmerde dans ce bureau sordide et que j'en ai marre d'entendre la conversation que HCMcQ a en hébreu avec sa maîtresse. C'est une langue très à la mode dans les milieux universitaires actuels. HCMcQ a donc choisi une maîtresse avec laquelle il apprend une nouvelle langue. Mieux vaut joindre l'utile à l'agréable, non? Mais HCMcQ a été un peu déçu par cette bonne femme. Il s'attendait à une pasionnaria, une vraie fille d'Israël, une fille prête à se faire sauter le caisson pour une cause, pour de l'argent ou pour rien. Une Antigone Totenwald. Oui, il aurait préféré une Antigone, pas correcte politiquement, ni sexuellement, ni même affectivement. Une Antigone un peu vivante, quoi.

HCMcQ pose son récepteur et, comme il me voit pleurer, il me redemande de m'asseoir. Je reprends mes esprits et lui dis tout de go:

— Vous me bousillez ma vie. J'ai envie de vous dire que vous êtes un con, avec votre vie minable mais j'ai appris à ne pas sauver les gens. J'ai appris que de toute façon, quoi qu'on fasse, on va vers le plus médiocre de soi. Allez, regardez-moi bien, raccourcissons l'histoire. Je suis sûre que vous allez me trouver une petite ressemblance avec quelqu'un. Faisons vite. Faisons bien. Faisons laflammien. Vous ne reconnaissez rien dans mes paroles, dans ma façon d'être? Un je-ne-sais-quoi? un petit quelque chose?... Pensez-y ou plutôt laissez-vous aller. Je suis vraiment prête à tout, même au plus abject, au plus pourri... Vous voyez, je vais descendre aussi bas que vous. Peut-être plus bas si c'est possible; mais voilà, je suis tombée amoureuse de vous, je suis vouée à ma médiocrité, et vous à la vôtre. Je devrais être là en train de vous faire cracher que Laflamme, Umberto et Éva se gourent, tous les trois, qu'ils sont des cons, que je n'ai rien d'un personnage d'*Allez, va, alléluia,* Antigone Totenwald. Mais bof! Je suis sous votre charme, j'ai envie que vous me touchiez, que vous me caressiez follement et cela assez prochainement, comme dans les trois prochaines minutes, alors, je vais dire le plus affreux, le plus terrible et tant pis si j'en crève: je suis Antigone Totenwald. Que voulez-vous, c'est Laflamme-tel-que-vous-le-conceptualisez-dans-vos-rêves-de-gloire-littéraire qui me l'a dit. Et il a même voulu coucher avec moi. Cela vous excite, non? Je voudrais faire de vous un héros et qu'on écrive une grande histoire d'amour ensemble. Deux grands auteurs d'une histoire inédite. Mais ce n'est pas possible. Vous ne serez jamais un héros et c'est à moi de devenir une héroïne, même l'une des plus ratées de l'histoire de la littérature québécoise ou mondiale. Je vais devenir une héroïne et vous voudrez vous shooter à moi. Comme cela, pour rien... Bon, vous ne comprenez pas encore, mais il paraît que je suis comme elle. Et pour vous, c'est une aubaine, parce que si j'ai bien compris, c'est un peu votre passion, votre personnage préféré. Je suis Antigone Totenwald, mais je ne suis pas une grande adolescente encore mineure. Vous pouvez donc tout me demander et surtout des choses sexuelles et dégueulasses. Parce qu'à cela, je suis très prête. Prête à tout. Avec vous. Et très bientôt. Comme tout de suite. OK?

Mon bel Américain n'hésite pas, et on se met à s'embrasser là, dans son bureau, devant le dessin horrible de sa fille et la photo, peut-être l'unique photo de Laflamme, tandis que je pense à l'œuvre de Proust *À la recherche du temps perdu,* à mademoiselle Vinteuil crachant sur le portrait de son père avant de faire l'amour avec son amie. Nous restons là toute la journée, dans ce bureau sordide, sous l'œil amusé de Laflamme, qui doit bien rire dans sa barbe... « Tiens, tiens, Antigone fait des siennes », c'est cela qu'il doit se dire, le portrait de Laflamme-le-voyeur. Mais je m'en fous de l'opinion de Laflamme, je me concentre sur ma vie, sur mes lectures. Et pendant que moi, je pense à ce passage de Proust, HCMcQ songe à Laflamme. Tout cela pour dire que nous n'avons pas vraiment les mêmes références. Mais je fais semblant de penser très fort à Laflamme, je joue à être cette infecte Antigone et comme ça, je peux coucher avec mon bel Américain. Quand je me rhabille, il me dit qu'il faut se revoir, faire l'amour et parler, parler. Il dit tout cela en anglais. Et cela devient très confus. Je lui coupe la parole et lui dis à toute allure :

— I am sorry, baby: I can't and let me tell you something sad, very sad: I will never see you again. You are not a hero, it is easy to figure this out... You will never leave your wife, your kid, your mistress and Laflamme for me. You are the guilty type. You would be guilty with me, telling me everyday that you would leave them, but not right now. I know that. But the problem is that I don't want to see it, baby. I love you with all I have, and I think that you could love me, more than anything, but I don't want to be Dido. Dido, you know her, right?... By the way, it is my real name. I haven't told you yet... I don't want to be left and dropped by an Aeneas, I don't want to commit suicide for you. I want to be Antigone Totenwald. Your favorite one. The one you love. And as you are a coward, and we both know that, you can't be my hero. And as Antigone, I will not sacrifice myself. I prefer to sacrifice you, like at the end of the novel when she has her friend Pablo killed. Finally, Laflamme, this fucking bastard, this SOB, this pitiful writer has won and I feel sorry for us.

Oui, Laflamme a gagné. Je veux être Antigone, jusqu'au bout. C'est tout. Je ne veux pas que tu fasses de notre histoire un lieu commun de la littérature romaine. Je suis donc Antigone, pour te plaire. Et comme Antigone Totenwald le ferait, je te quitte, c'est tout. La vie est chienne. C'est une *chienne de vie. Tout m'épuise. Je suis épuisée.*

Mon bel Américain se met à essayer de me convaincre, en ayant recours aux stratégies les plus basses. Il me pelote en me suppliant de le revoir. Cela a un côté JR qui me plaît vraiment beaucoup. On décide donc de remettre ça. Je veux bien, je veux tout, je sais la suite des choses. Je partirai en courant, je quitterai le bureau sordide et lui, comme il ne sera pas habillé, il ne pourra pas me rattraper. Je sais bien qu'il n'aura pas le courage d'être nu dans les couloirs de l'université et de courir en hurlant après un personnage de roman qui est sa raison d'être et sur lequel il a écrit tous ses livres. Je pars, et mon amour, tu aurais beau crier mon nom d'Antigone dans les couloirs déserts de l'université québécoise, je ne reviendrai pas. Je pars. Adieu, mon amour, tu raconteras tout cela à Laflamme, il pourra en faire un autre roman minable sur lequel tu feras dix articles, un livre et des tonnes de conférences. Tu auras aussi des subventions pour cela. Tu verras, mon amour... Appelle Laflamme et remettez-vous à l'écriture.

3

Dans ma petite voiture, j'ai les larmes aux yeux mais je ne céderai pas aux larmes ni aux Américains. Je suis une fille très armée, je suis une Athéna toute cuirassée. Je ne peux me laisser aller à l'amour et cet imbécile de HCMcQ ne m'aura pas. Ce n'est pas mon corps qui décide, ce n'est ni mon sexe ni mon sang qui battent fort dans les veines. C'est moi. C'est moi qui ai appris tout enfant à me coller les mains sur les plaques de la cuisinière, c'est moi qui sais me frapper la tête sur les murs et les planchers, c'est moi qui dors nue dans le froid de l'hiver, c'est moi qui m'arrache la peau. C'est moi. Je ne cède jamais. À rien, à personne. L'amour est une chose ignoble, terrible, abjecte et je n'y céderai pas. Je n'ai pas envie de m'abandonner. J'abandonnerai tout le monde, sauf moi-même. Ma totote, c'est comme cela que j'appelle ma coccinelle rose, me protège. Je suis un chevalier et c'est mon armure. Je suis un soldat allemand et c'est mon char d'assaut. Je suis une tortue et c'est ma carapace, je suis un arbre et c'est mon écorce. Qu'on me grave un cœur dessus, cela ne fait rien. Je ne sens rien, rien, rien. Je me baigne dans les mots de Laflamme, je patauge dans la mélasse laflammienne. Ophélie du présent, je me noie dans le flot boueux de la parole du grand Robert. Je deviens son Antigone.

Je suis mon destin à la trace. Je ne serai que mon destin. Malgré mon amour pour Aquin. Malgré cette passion-ravage que j'ai pour lui. Il n'y a qu'Hubert Aquin. Je pourrais crier son nom sur tous les toits du pays, du haut de tous les clochers de la bêtise « made in Québec ». Je pourrais hurler son nom, le mien, à travers le vide de nos vies. Je pourrais mourir en récitant *Prochain épisode,* comme ma dernière prière à Dieu. Je connais de ses livres toutes les phrases par cœur. Je suis pas à pas sa pensée; je suis le spectre de sa vie. Je me coule dans la folie de ses mots: je pense à mon suicide. Je voudrais en finir. J'ai toujours voulu en finir. Que cela s'arrête, cette comédie de la vie, que je disparaisse, que je n'aie jamais existé, que je sois réduite en poussière, que je me confonde avec le grand tout, avec le grand trou, qu'on n'en parle plus. Je pense à mon suicide. Je ne pense jamais qu'à cela. Qu'à l'avortement de mes rêves, qu'à ce qui n'a pas pu exister. Je pense au Québec. Je pense à Aquin.

Je pense à mes 16 ans québécois, quand tout était encore possible, quand l'avenir était le sien, le mien. Je pense au fantôme de Nelligan que je fréquentais si assidûment dans les rues poudreuses de la ville. Je pense à celui qui a inventé la mort, mais qui ne nous a pas permis d'inventer la vie. Je pense à Aquin. Je dévore le corps de ses œuvres, je communie dans la défaite. Le jour de sa mort, j'ai pris le deuil de la vie. J'ai appelé Lazare cette nuit-là, et je lui ai demandé de venir me voir immédiatement. J'avais entendu l'annonce de son suicide à lui, aux informations de onze heures. Un grand gel s'abattait sur moi. Lazare était grave. Nous savions que c'était pour elle, comme pour moi, le début de la fin. Mais seulement le début. Cette nuit-là, cette nuit de mars 1977, Lazare me supplia de le quitter: « Laisse-le donc mourir en paix, Didon, le vieil Hubert. Tu ne peux plus rien pour lui, ma belle. Il nous laisse tomber, l'enfant de chienne, ben, qu'il reste parmi les morts, ce traître-là. C'est pas moi qui vais le ressusciter ou qui vais entretenir sa mémoire. Ne t'enfonce pas dans la mort, Didon. Le Québec doit en revenir de tout cela. L'avenir est fait de ce que l'on ne connaît pas. T'accroche pas à ce qui n'a pas eu lieu. C'est fini. C'est correct. Les choses arrivent. Autrement. »

Je n'ai pas écouté Lazare, cette nuit-là. Je n'ai pas entendu son appel à la vie. Cela chantait du côté de la mort. Aquin-ma-sirène m'hypnotisait. Il m'hypnotise encore. Comment faire le deuil de ce qui n'a pas été? Du Québec de nos rêves... Comment ne pas me laisser bercer par la voix éraillée, rauque d'un futur du passé? Comment continuer chaque jour, en me disant que rien n'arrive ici, que rien ne bouge? Comment continuer? Et comment, surtout, comment en finir? Même mes suicides, je ne les réussis pas. Même mes mises à mort sont des balbutiements, des bégaiements de l'histoire. Je gâche tout. Je pourris tout: je suis, je le sais, une ratée. Un dérapage du temps. Un accident insignifiant de la vie.

« Tout est fini. » C'est ce qu'il a écrit. Tout est fini... C'est ce que je me répète.

Mais pourquoi, moi, j'ai tant de mal à en finir? Je ne sais que lutter contre moi-même.

Je suis dans ma totote. Je suis protégée. J'ai envie de me lancer à toute allure contre le premier mur qui me fait le clin d'œil de la mort. J'ai envie de tout foutre en l'air. J'ai envie de me bousiller. Tout cela, parce que je suis tombée à moitié amoureuse d'un Américain.

Tout cela, parce que mon corps ne répond plus. T'es là, mon corps? Tu m'entends? Et si je te fous un grand coup de poing dans le ventre, tu vas te rappeler qui commande? Les mauvais traitements que je m'inflige me permettent de m'oublier, d'oublier les désirs brûlants, les désirs torrides, les tristesses et les folies. J'oublie jusqu'à mon existence. Je m'enfonce dans ma médiocrité, sans y penser. C'est chaque fois la même chose. Chaque fois, après mes propres châtiments, je vois un grand vide dans ma tête. Le trou de ma pensée. C'est chaque fois la même chose. Sauf, bien sûr, les soirs où je n'arrive plus à vider ma mémoire du bric-à-brac de ma vie. Sauf les soirs où je me suicide grandiosement, et où je me rate comme une malpropre.

J'allume mon cellulaire et m'apprête à composer le numéro d'Éva, ça sonne: «Tuit, tuit.» C'est le nouveau bruit des téléphones, mais ce bruit pour moi, c'est un peu la voix d'Umberto, qui me harcèle de ses petits coups de fil sans fil. Le cellulaire a décidément un accent très italien. Rien pour me plaire. Rien que du fort désagréable. Les Italiens, ce sont tous des fascistes ou alors des gens de gauche. À tout prendre, je préfère les fascistes. Au moins, ils ne veulent rien d'autre qu'être dégueulasses. Les autres, les hommes et femmes de gauche, nous conduisent en enfer, pavé de bonnes intentions. J'appuie sur un bouton et j'entends encore la voix d'Umberto, mais sans le «tuit, tuit». Ce qui est presque plus exaspérant. «Zé essayé dé t'appéler, touté la journée, Didon, quelle chosé tu faisais? Tu né m'aimés plou, tu ne réponds plou.» Quand Umberto est triste, son accent est terrible, il perd les pédales et tout son français. Il me parle dans une langue qui pour moi est de la bouillie pour les chats, que je ne donnerais même pas au mien, que j'ai nommé Istanbul Premier. Parce que je sais qu'il y aura plusieurs Istanbul. Je ne suis pas dupe. Pas du tout. Je connais les perversions de l'amour. Un jour, Istanbul se barrera ou se fera écraser ou encore je l'empoisonnerai avec de la mort-aux-rats. Je me prépare à sa mort... Je l'appelle Istanbul Premier pour que nous sachions bien tous les deux que c'est provisoire entre nous et que cela ne durera pas. En disant son nom, je rappelle à mon Istanbul l'éphémère de notre cohabitation. J'espère qu'il apprécie mes efforts pour ne pas nous maintenir dans l'illusion. C'est comme avec la chienne, Athéna, je lui fais des gros câlins sur le ventre, et dans le sens des aiguilles d'une montre s'il vous plaît, en lui mentionnant toujours qu'elle devrait trouver une autre maîtresse, qu'elle devrait s'enfuir dans la montagne quand je la laisse courir, qu'elle devrait me planter là et me regarder l'appeler et souffrir, et qu'elle devrait courir quand même pour que je ne puisse la rattraper... « Reviens pas, Athéna, barre-toi, va coller un autre maître. Va faire tes grands yeux de veau à un imbécile qui jogge dans la montagne, joue à la chienne perdue, battue. Reviens pas, parce que moi, un jour, je jouerai aux parents du Petit Poucet avec toi et tu te feras manger par l'ogre.» Je suis comme cela, fidèle à rien.

— Qu'est-ce que tu veux, sale Italien ? Je ne t'aime pas, je ne t'ai jamais aimé. Qu'est-ce que tu veux ? Je viens de m'envoyer en l'air avec un autre laflammien. C'est comme si je faisais une collection de laflammiens et dans la collection, je t'échangerais sans aucun problème. Je ne verrais même pas la différence. Mais, je le souhaiterais sans accent italien celui-là. J'en ai marre de me faire susurrer des mots doux avec cet accent décidément fort désagréable, avec cet accent zézayant et qui me rappelle désormais de grands moments d'ennui. Cet accent d'huile d'olive, mais une huile qui ne lubrifierait rien, une huile d'olive sèche.

— Tou m'a trompé, Annetigonnée? dit l'Italien avec de lourds sanglots dans la voix et avec un nez passablement congestionné.

Il me donne envie de gerber, cet abruti, mais je ne veux pas salir ma totote. J'ai l'impression d'être dans une version doublée d'un très mauvais film italien des années 60, où le personnage principal, très réaliste, comprend que sa petite amie l'a trompé avec son patron, pour des raisons financières et sexuelles et comme on n'est malheureusement pas dans un film sur la mafia ou sur la vendetta, le personnage principal, très véridique, va s'écraser et va pleurer dans son coin en voyant son bonheur lui glisser sous le nez. Il ne va tuer personne, même pas lui-même, tellement il ne connaît pas la honte et la douleur. Il n'ira descendre personne, ne posera aucun acte de folie ou de passion, mais ira se moucher dès que le mot fin se sera donné à voir sur l'écran.

— Arrête de pleurer, sale Rital, je t'ai trompé encore et tu aurais dû t'y habituer. C'est pas la première fois, c'est la dernière. Mais ne me dis pas que tu ne tires jamais ton coup avec ton ex-femme. Rien que pour vous consoler de vos déboires, pour vous rappeler le bon vieux temps, quand vous aviez encore de l'espoir et que vous vous aimiez. Ne me dis pas que tu ne tires pas ton coup avec Rita-la-Ritale, de temps à autre... Parce que vous êtes habitués à vous-mêmes, à votre médiocrité tranquille et parce que lorsqu'elle t'invite à manger pour ton anniversaire, le vin italien dégueulasse aidant, tu la redésires tout à coup. Comme avant. Et tu lui grimpes dessus et c'est emballé en trois minutes. Mais je m'en fous de tes séances de gymnastique épisodiques, je ne veux plus jamais te revoir, je ne veux plus jamais entendre parler de l'Italie, du vin infect que tu me faisais boire, de la polenta que je déteste, du saucisson qui me donne des boutons, de ton amour italien pour ta famille-si-parfaite, et de tout le reste. Je veux plus jamais entendre parler de rien et surtout pas de Laflamme, ni d'*Allez, va, alléluia*. Je veux plus rien entendre, tu entends. Rien.

Je raccroche. De toute façon, je suis arrivée devant chez Éva, rue Outremont, à Outremont, là où habitent tous les psychanalystes de la ville, qui peuvent se rencontrer par hasard et en coup de vent, à la boucherie du Poitou sur Laurier et échanger quelques considérations bien freudiennes sur les cuisses de chevreuil et les poitrines de poulet. On peut bavarder rapidement devant l'étal des viandes et se promettre que l'on se verra un de ces jours au séminaire du grand ponte suisse qui porte sur l'argent dans la cure en achetant une bavette à 15 dollars et du faisan à je ne sais plus combien. On peut se faire un clin d'œil ou un petit bye-bye de loin en louchant sur les chocolats que l'on n'achètera pas, parce que Lacan nous a appris à croire à la castration et qu'on est bourgeois, donc pas obèses, même si on sait apprécier les bonnes choses de la vie.

Je suis à Outremont, où l'on est entre gens bien, des gens qui se font psychanalyser, qui respectent la loi 101 et qui envoient leurs enfants à Brébeuf. Je suis à Outremont, ville d'où la faute d'orthographe est exclue et municipalité laflammienne par excellence. Ici tout le monde a lu *Allez, va, alléluia*, ici tout le monde se méfie de moi, mais m'invite pour égayer les partys où l'on entonnera une petite toune de concert, où l'on improvisera un petit truc décontracté au piano à queue du boudoir.

Je suis donc à Outremont-en-Laflamme et avec l'appel d'Umberto, je suis arrivée devant la porte de chez Éva, sans avoir pu la prévenir.

Je sonne et entre dans la salle d'attente. Je sais qu'Éva finit à 6 heures et j'ai besoin de voir un être humain, et ce, au plus sacrant. Nous nous sommes promis d'aller assister au concert de Matt Lesprit, ce soir à 9 heures, et malgré ma tristesse, malgré l'amour que j'ai découvert et perdu, je tiens à aller au spectacle de Matthieu Lesprit, qu'Éva trouvera sans aucun doute «absolument désopilant et résolument attachant»... Je ne veux rien changer à ma vie. Ma rencontre avec HCMcQ ne doit rien représenter pour moi. Rien. Je veux entendre tous les adjectifs les plus précieux et tous les adverbes les plus horripilants sortir de la bouche d'Éva pour qualifier Matt Lesprit, et mes billets pour le concert sont la preuve tangible que les choses n'ont pas changé. D'ailleurs j'ai une envie folle d'assister au show: je dois dire qu'Olga-Mélie est la choriste de Lesprit. C'est elle qui hurle: «La laideur du jour, la vraie laideur du jour» et Olga-Mélie a bien raison quand elle s'époumonne et vomit sur l'existence. Je suis donc dans la salle d'attente en train de me taper la musique archi-bon goût de Radio-Canada qu'Éva laisse en permanence jouer dans la pièce, afin que l'on ne puisse entendre les apitoiements du patient sur le divan; je suis donc en train de feuilleter un journal local, conçu pour les bourgeois amoureux de la culture, dans lequel les professeurs d'université étalent leurs idées si peu engagées, et je sens que la séance de l'autre côté de la porte prend fin. C'est comme une nouvelle énergie qui se dégage de derrière cette porte capitonnée de cuir: on bouge, on va partir. La porte s'ouvre et je vois tout de suite un homme d'un certain âge sortir du bureau d'Éva et refermer la porte sur lui.

Cet homme est de dos à moi et je ne peux voir son visage, mais sa silhouette me dit quelque chose. Rien qui vaille. Je sais que je connais cet homme et que je ne l'aime pas, mais alors vraiment pas. Cet homme est lié à des mauvais souvenirs, à des mauvaises nouvelles, à quelque chose comme une haine ancestrale et terrible. Il se tourne vers moi, curieux de savoir qui lui succède auprès de son objet de transfert, Éva. Les analysants sont comme cela. Ils sont cons. Toujours en train de recréer une petite famille, dans laquelle ils seraient jaloux des autres membres. Toujours en train de vouloir en vouloir à quelqu'un et de regarder hypocritement les autres qui partagent maman Anna ou papa Sigmund. Cela vous donne envie de dégueuler de voir des gens qui ont parfois 40 ou 50 ans régresser à ce point. Et l'analyste, encore plus con, est fier quand son patient lui dit: « Ça m'a fait mal de penser que je n'étais pas votre seul analysant. Je suis jaloux. » L'analyste trouve cela normal, toute cette médiocrité, cette bassesse. L'analyste, il a un nom psychanalytique pour tant de minablerie, il appelle cela pompeusement le transfert. Et quand le patient lui dit une connerie grosse comme une maison, l'analyste se frotte les mains: « Bravo ! Bravo ! Le transfert est amorcé ! J'ai bien fait mon travail ! Freud a vraiment raison ! »

L'homme à la porte d'Éva est déjà prêt à aller pleurnicher sur le divan la prochaine fois, à la prochaine séance à 100 dollars, ayant découvert l'existence de sa douleur, l'existence du patient suivant, quand je m'aperçois, patatras, que cet homme qui sort du cabinet de ma copine Éva n'est autre que notre Robert-Laflamme-qui-exporte-si-bien-notre-belle-culture... Je le reconnais sans aucune erreur possible même s'il ne trimbale plus sa pelle pour déneiger son entrée de garage. Bien que ce Robert Laflamme en question ne soit pas un type très futé et qu'il écrive des livres absolument ridicules, il ne met qu'une demi-seconde à me reconnaître et qu'une seconde à devenir blanc comme un linge. Je crois qu'il va crever, là sous mes yeux et je me dis que ce serait peut-être une bonne chose pour l'avenir de la littérature.

— Vous êtes en psychanalyse, vous, sale violeur incestueux ! J'espère que vous avez parlé à votre psy de vos désirs immondes pour moi. J'espère que vous allez vous faire soigner pour toutes les saloperies que vous voudriez me faire. J'espère d'ailleurs que votre analyse vous ruine. Vieux vicieux.

Je n'ai pas ma langue dans ma poche. Je dis cela pour les lecteurs qui n'auraient pas encore compris mon personnage, qui n'a bien sûr rien à voir avec celui d'Antigone Totenwald, mais qui n'en reste pas moins un tantinet violent. C'est pas parce qu'on est des filles qu'on doit être des personnages de victimes, de lavettes lamentables ou encore de connasses endormies. C'est pas parce qu'on est des filles qu'on n'a pas sa dignité et même un certain sens de l'honneur. Je n'ai rien en commun avec Antigone Laflamme-sans-aucun-feu-intérieur, mais je suis une fille, et par conséquent je réagis, comme elle : sans aucune lâcheté devant les événements. C'est tout ce que nous partageons, Antigone et moi. Point final.

— Antigone, ma chérie, mon enfant, mon épouse, ma sœur, mon alter ego, ne fais pas une crise ici. Mon psy ne doit pas entendre. Je fais un transfert et je suis fragilisé par l'analyse; je m'excuse de ma conduite et j'aimerais te revoir. Appelle-moi, je suis dans l'annuaire sous mon nom. Tu connais l'adresse, tu es venue. Appelle-moi, ma chérie. Je ne pense plus qu'à toi. Mais surtout ne répète à personne que je suis en analyse, s'il te plaît.

C'est cela qu'il me répond, ce gros-sac-à-vin-de-Laflamme. Il a les mêmes petits yeux mesquins et fuyants que je lui ai vus, lors de notre première rencontre. Des yeux de salaud, des yeux de mauvais écrivain.

— Va te faire enculer à sec, sale scribouillard de mes fesses et ne compte pas sur mes appels, sauf ceux que je te ferai au milieu de la nuit pour te faire peur et pour te réveiller en sursaut en te promettant de venir te trancher la gorge.

J'ai à peine fini ma phrase que mon Laflamme prend la poudre d'escampette.

Éva est en train d'ouvrir la porte et le lâche ne veut pas d'un esclandre devant sa psychanalyste. Il veut garder son transfert intact, cette ordure, et il souhaite que le contre-transfert d'Éva soit opérant. Il veut une vraie psychanalyse, cet imbécile. Eh bien, je vais lui en donner une...

— Mais qu'est-ce que tu fous là ? Tu te disputes avec un de mes patients. Mais tu es incorrigible... Une vraie Antigone... Celle de Laflamme, pas celle de...

— Arrête tes simagrées, Éva. Pourquoi c'est faire que tu m'as jamais dit que tu avais comme analysant ton idole, le grand Laflamme-auquel-vous-léchez-les-bottes, Laflamme-le-lâche-l'écœurant qui a essayé de me violer la semaine passée ? J'espère qu'il t'a raconté cela, l'hostie de chien sale.

— Mais de quoi parles-tu, Didon ? De mon patient ? Il s'appelle Stallone, comme le grand acteur et cela le traumatise. Je ne devrais pas te dire cela, mais avec lui je travaille toute la problématique du nom d'un point de vue lacanien. C'est passionnant. Mais sans cela, je m'ennuierais énormément. Cet homme est assez banal. Quelques fantasmes de viol, sans plus... Il est assommant et passablement monotone dans ses propos. Tu le connais, ce type ? Ce que je te raconte est ABSOLUMENT confidentiel. Je ne veux pas d'emmerdes dans mon boulot. La psychanalyse, cela ne marche que sur le secret professionnel, tu peux le concevoir aisément. C'est comme dans ton métier, tu dois bien avoir une éthique, non ?

— De quelle éthique, tu parles ? Je fais mon boulot d'interprète, c'est tout. Je baragouine des langues et je fais en sorte que la communication se fasse, que les gens continuent à se parler. Mais bien sûr que je les arrange, les dialogues, qu'est-ce que tu crois ? D'une langue à l'autre, je traficote les choses et je les retricote. Il faut pas croire à la fidélité. Il faut simplement que ça continue, que ça s'arrête pas. Et quand j'ai pas assez d'argent, je prête ma voix allemande dans des films pourris. Je fais la doublure, Éva, je suis un agent double. Je suis prête à tout pour gagner du fric. De l'éthique ? De quoi tu parles ? Mais, de toute façon, c'est pas la question. T'as déjà vu une photo floue de Laflamme, pauvre conne ? Toi qui connais son œuvre par cœur, t'as jamais eu la curiosité de vouloir admirer sa tronche ? C'est Laflamme-bout-de-chandelle, ton faux Stallone. C'est Laflamme, ta cruche à vin qui pue l'alcool à trois kilomètres à la ronde. C'est Laflamme-de-vos-amours, ton grand écrivain, ton idole. C'est un mec très commun, hein ? Pas étonnant que ses romans soient si misérables... C'est le Laflamme-de-tes-fantasmes-les-plus-fous, pauvre, pauvre idiote ! C'est lui qui t'emmerde trois ou quatre fois la semaine avec ses remarques insipides et ses clefs des songes qui te font bâiller et presque mourir d'ennui. C'est le même que tu portes aux nues. Réveille, Éva. C'est Laflamme-le-grand-Robert-à-nous-tous, hostie... Ce crisse-là qui a voulu me violer l'autre jour. Je t'ai raconté. C'est lui...

— Tu déconnes, ma chérie, ma Didon... Cet homme n'a jamais écrit une ligne de sa vie. Il est comptable. Son père était embaumeur de cadavres. C'est ce qu'il m'a toujours dit. Cela l'a traumatisé. C'est un être complètement banal, à qui il n'arrive que des histoires insignifiantes, tu vois. S'il n'y avait pas son nom qui pose problème, je ne me rappellerais jamais ce qu'il me dit.

— Ta gueule, Éva ! Va te préparer. C'est vrai qu'il fait dans le lugubre, Laflamme, et que ses histoires, cela sent la décomposition et le cimetière de la littérature. Mais, ce mec-là, c'est The-Marvelous-Laflamme-tel-qu'il-vous-est-apparu-dans-toute-sa-gloire et moi, je veux aller voir Matt Lesprit. Un gars un peu sain, qui n'a rien à voir avec ton faux acteur hollywoodien. Dépêche et monte te changer, je t'attends dans ma totote.

Je retourne à ma tortue-char-d'assaut-aussi-vive-que-l'éclair, ma p'tite voiture rose, tout en m'allumant une cigarette afin de couvrir l'odeur de sueur qui se dégage, malgré moi, de mon corps échauffé et de tous mes vêtements. J'ai encore sur moi l'odeur âcre de mes ébats avec HCMcQ et ces parfums presque nauséabonds sont une plaie béante et pourrissante, une gangrène. Ils ont le goût de ma possible souffrance, celle que je ne vivrai pas, que j'ai décidé de ne pas vivre. Je fume ma Marlboro lentement en jouant avec les volutes, en m'imprégnant de leurs formes et de leurs fumets et quand je finis, j'écrase le mégot incandescent sur mon bras afin de m'empêcher de penser à HCMcQ et surtout afin d'avoir comme unique souvenir de mon corps cette douleur atroce que je viens de m'infliger. Bien fait pour toi, Didon, tu dois t'infliger une telle brûlure et tu le sais...

De l'amour, je ne connaîtrai jamais le frisson obscène, le frisson mordant, le frisson blême. De l'amour, je ne connaîtrai pas la douleur lubrique et violente, la douleur vache, la douleur chienne-aux-crocs-acérés, chienne-au-cul-lubrique. De l'amour pute, je ne veux rien savoir. De l'amour salace, je veux être vierge, blanche, immaculée. Que tous les bons et mauvais garçons sur la terre comme au ciel oublient mon nom de gourde, de gourgandine et de goulotte. Qu'elle s'arrête, la grande machine obscène, la machine surchauffée de la reproduction du même, que son mécanisme s'emballe comme un étalon fou braquemart, comme un taureau en rut et qu'il nous renverse de peur. Que tous les amants, ces êtres vils, ces êtres pleutres, crèvent de mort lamentable, de mort lente et pénible. Que toutes les filles, vierges et pas vierges, fassent vœu de chasteté amoureuse, et pour toujours. Que les bouches lippues arrêtent de se chercher à qui mieux mieux en se murmurant tout bas des «je t'aime» terribles, des «je t'aime» cosmiques, des «je t'aime» grands comme des cathédrales gothiques. Que les sexes gémissants (Aaaaaah! Ouuuuuuuui!) se confondent sans avoir à se faire d'affreuses promesses, des promesses de fesses menteuses. Beurkk! Elle me donne la nausée verte, la simple idée rose de l'amour. Elle me donne la diarrhée noire, la pensée blanche du toujours. Et je jure sur ma conscience que je ne prononcerai jamais l'immonde mot amour, si ce n'est pour penser à Olga-Mélie ou encore à un de mes chiens. De l'amour, je suis innocente. Je le jure.

Voilà que j'ai trop lu *Allez, va, alléluia* et que je connais le texte par cœur. Me voilà en train de me réciter du Laflamme, page 267, dans l'immonde édition Livretto et que je deviens comme cet auteur-tant-imaginé, sans envergure qui sait les pages de ses propres livres. C'est envoûtant, les textes de Laflamme, presque autant que ceux de Réjean Ducharme. C'est insidieux. On ne peut plus s'en défaire. Cela nous colle à la peau. Les phrases nous hypnotisent et se mordent la queue. Le temps stagne et piétine. Cadence du temps québécois, celui de la répétition. Les mots séduisent, captent et puis, gloup, ils nous engloutissent, ils nous avalent. Les mots de Laflamme nous charment, nous font des avances et même moi, la résistante, j'ai du mal à les repousser.

«Je suis lâche, lancinante, lassante, laide, lambine, lamentable et larmoyante. Je suis un lamento, un lambeau, un laideron, une lavasse, une lavette délavée, délabrée. Je ne suis rien. Que cette chose incapable. Et comme je suis si peu, je dois me faire violence pour arriver à vivre à la hauteur de mes rêves.» Joignant le geste à la parole, je tente une dernière cure et me rallume une cigarette que j'écrase tout de go sur mon bras, question de m'empêcher de réciter Laflamme en Livretto, page 299. Je ne cède à rien, même pas à la facilité.

Éva arrive toute pomponnée, toute très Outremont, absolument BCBG, sans faute de goût ni d'orthographe. Quand elle voit mon bras gauche, elle pousse un petit cri: «Oh!» et elle ajoute:

— Mais c'est toi, Didon, qui sens le brûlé. Tu es complètement dingue, ma pauvre cramée. Tu te mutiles, cela traduit des tendances suicidaires et dépressives. Tu te fais mal, car tu ne peux faire mal aux autres. Tu expies.

— Écoute, Éva, t'es gentille, t'es mon amie et je t'aime, mais tes explications psycho-machin, tu peux te les foutre au cul, cela te décoincera. J'ai pas particulièrement d'agressivité refoulée et si tu veux, je roule sur cette vieille dame qui traverse et sur ces deux sales mômes qui jouent au hockey dans la ruelle, question de te prouver le contraire. L'agressivité, je la refoule zéro. Mais je ne peux quand même pas tuer tout le monde que j'haïs, parce qu'il y en a un sacré paquet, tu vois? Je ne peux pas éliminer tous les abrutis et les connards de la terre, tous les psychanalystes et les psychanalysés, tous les gens d'Outremont et tous ceux qui aiment Laflamme, tous ceux qui lisent Livretto et j'en passe. Je peux pas. Je peux tout simplement pas. Cela prendrait trop de temps. Et puis, j'y passerai et toi aussi, ma pauvre conne... Tu serais la première sur ma liste. Je te démonterais la tête, avant de te dépecer en mille morceaux que je donnerais à Athéna. Je crois pas que je refoule, tu sais. Et il y a juste une psychanalyste merdique pour dire que Sappho-Didon Apostasias refoule quelque chose. J'essaie seulement de continuer à vivre encore un peu et selon mes principes. Je sais que c'est con et que je devrais me tuer tout de suite, sans plus attendre, mais bon, j'ai toujours attendu que quelqu'un m'aime assez pour appeler la mort avec moi, pour m'accompagner *ad patres* revoir mon grand-père grec, que je pourrais bousiller dans l'au-delà pour avoir touché à mes cousines. J'ai toujours rêvé qu'un Hubert Aquin magnifique m'entraîne dans sa chute. Mais cela ne m'arrivera pas. C'est moi l'héroïne de cette histoire, c'est comme ça. C'est à moi de faire mon destin. Bref, pour te simplifier les choses, je refoule pas. Attache ta ceinture, Éva, on va voir Matthieu Lesprit.

Je te fais écouter le CD, pour te mettre dans l'ambiance. Olga-Mélie sera là. On oublie tout.

Le spectacle de Matthieu Lesprit est super bien, la salle est géniale, je suis une gamine, j'ai à nouveau 14 ans, je me trémousse dans tous les sens en hurlant et quand Lesprit entonne ma chanson préférée, j'ai les larmes aux yeux, tellement je me sens proche des paroles. « La laideur du jour, la vraie laideur du jour. » Comme c'est juste. Cela, c'est pas du Laflamme, mais c'est bien envoyé et lorsque Olga-Mélie se met à chanter, c'est encore mieux. C'est comme des paroles, juste faites pour nous, juste pour nous deux. Éva n'arrête pas de discourir sur le charme fou de Lesprit et sur le caractère absolument rafraîchissant de ses chansons. Elle est con, Éva, mais je ne peux pas lui jeter la pierre. Tout le monde essaie d'oublier que le jour est sombre, vide et affreux, tout le monde se bat pour ne pas penser à sa lamentable existence et moi-même, ce soir, je veux tout oublier. Ce soir, j'aime Lesprit. Un point, c'est tout.

Je devrais le détester, Lesprit, le looser. Je devrais le maudire, ce splendide gars sans ambition, cet adolescent laflammeux, fier de lancer des pipi-caca pseudo-révolutionnaires à un auditoire de 15 ans. Je devrais lui cracher au visage à cet éternel imbécile, content de lui-même, heureux d'écrire des chansons insipides dans lesquelles on ne parle jamais de politique. Je devrais lui arracher les yeux à ce crétin qui a mon âge, mais qui ne veut pas grandir, qui ne sait pas vieillir et qui ne pense qu'à rigoler. Je devrais lui foutre mon poing sur la gueule à ce Lesprit sans conviction dont le seul combat est sa propre lutte contre la cigarette. Je devrais haïr Lesprit, le mépriser pour tout ce qu'il représente, en faire de la charpie. Ici, les gens de 40 ans sont comme lui. Ils passent leur temps à gueuler sur les baby-boomers en se roulant des pétards et en devenant de plus en plus cons. Les gens de 40 ans ont trempé dans la soupe laflammienne et ne comprennent rien à Aquin. Je devrais l'exécrer, Matt Lesprit, mon semblable, mon frère, mais ce soir, j'ai envie de l'aimer.

Ce soir, j'ai envie d'oublier.

Après le spectacle, on va backstage, ce qui excite énormément Éva, qui veut se frotter sur le corps de n'importe quel musicien ou électricien du show. La copine d'Olga-Mélie, Marjolaine ou Mylène ou quelque chose du genre, est là en train d'embrasser Olga-Mélie à pleine bouche. Cela pourrait me donner des nausées, mais ce soir, j'ai décidé de m'amuser un peu, de rire, de chanter, d'oublier, oublier, oublier... Je pense que Marjolaine ou Mylène fait exprès. Je pense qu'elle connaît la nature de mon amour pour Olga-Mélie et qu'elle décide de me faire chier. Je n'en ai rien à faire, mon cœur, de ton bonheur. Tu peux avoir Olga-Mélie, car jamais tu ne l'auras; jamais tu n'auras une enfance comme la nôtre. Jamais tu ne connaîtras un tel amour, alors, tu peux essayer de donner l'herpès à Olga-Mélie. Elle l'a déjà et cela vient d'une autre. De moi.

Cette connasse d'Éva tient absolument à se faire présenter à Matt the Spirit, par pur snobisme, pour pouvoir dire à ses amis d'Outremont qui sont profs d'université et qui travaillent sur la culture populaire, qu'elle a serré la main d'« une vedette québécoise francophone » (on peut donc être fiers dans les chaumières de par chez nous), dont elle n'avait jamais entendu parler avant la semaine dernière, dont elle n'avait jamais vu le nom avant de le lire dans *Le Devoir* associé à celui d'Olga-Mélie, dont elle n'avait jamais écouté une seule chanson avant que je mette mon CD à plein tube dans ma totote, sur le chemin du concert.

Éva veut être un grand psychanalyste mais c'est une midinette snobinarde. Elle se prend pour Freud. Son nom de famille est Lajoie et depuis que je lui ai dit que c'est la traduction du nom de Freud, elle glousse de plaisir dès qu'on parle du cercle viennois. Éva est sotte, mais je l'aime bien. Elle m'admire de connaître plusieurs langues et surtout l'allemand. L'allemand, je l'ai appris très jeune, parce que c'est comme l'anglais, il faut connaître ces langues-là pour lutter contre ceux qui les parlent. L'anglais et l'allemand, cela nous colonise d'une façon ou d'une autre, cela nous envahit avec les Westinghouse, GM, Volkswagen et Telefunken. Cela nous pollue le monde qu'on le veuille ou pas. Cela nous intoxique... Les amants de ma mère étaient anglophones ou germanophones. Elle aimait les têtes carrées, les Teutons, les têtes dures et ça doit être pour cette raison, parce que, veut, veut pas, je lui ressemble, que je suis tombée amoureuse de cette ordure de HCMcQ. Je dois être dans la répétition névrotique et compulsive ou quelque chose du genre. C'est sûr. Le premier mot que j'ai appris en allemand, c'est « schnell ». C'est ce que Dieter disait à ma mère quand elle le suçait : « schnell, schnell ! »

Lorsque j'ai vu un film sur les nazis pour la première fois et que les sales Boches vociféraient « schnell, schnell ! » j'ai compris combien c'étaient des enculeurs, des gros dégueulasses. Cela m'a rappelé Dieter lequel, j'espère, est mort maintenant. Je souhaite qu'il se soit tué dans son énorme Mercedes sur une autoroute allemande où l'on peut rouler à toute vitesse, sans se faire arrêter. L'Allemagne, ce pays où l'on peut foncer à 200 km/h impunément, où l'on peut passer au four des millions de gens en toute bonne foi, en toute bonne conscience, en disant «schnell». L'Allemagne, ce pays de l'efficacité, où l'on peut bouffer de la choucroute aux juifs ou aux Turcs, s'en lécher les babines, faire partie de l'Otan et bombarder les Serbes en les traitant de nazis... Remarquez, on sait de quoi on parle... L'Allemagne, ce pays ridicule que le monde entier envie, parce que c'est le symbole même de l'Occident, de la rapidité et du culte de l'hypermémoire vide. L'Allemagne que j'abhorre. L'Allemagne que j'adore. Parce que l'Allemagne, c'est aussi tout ce que j'aime: Hölderlin, Günter Grass, Berlin, Sloterdijk, Kant, Hegel, Kleist, von Trotta, Brecht, Walter Benjamin et surtout, surtout Fassbinder. Je me permets de détester l'Allemagne, comme une Allemande se doit de détester son pays. Je déteste cette culture que j'ai faite mienne. On peut encore cracher sur soi, non?

J'ai su dire très jeune les pires cochonneries les plus sexuelles en allemand et en anglais, si bien que je n'ai jamais eu aucun mal à lire Freud-Lajoie dans le texte, ou encore Henry Miller. Je ne pouvais lire ni Hegel ni Hitler, pas plus que Rorty ou Kitcher, mais je pouvais traduire en allemand tous les livres pornographiques ou encore les modes d'emploi des rasoirs électriques Braun. Les langues, c'est comme cela, on n'est bon que dans des morceaux de langue. Et moi, je connaissais très petite tout ce qui va avec «schnell», c'est-à-dire la baise et les électroménagers, fours crématoires compris. Plus tard, j'ai étudié ces langues et j'ai enrichi mon vocabulaire.

Éva est carrément en train de lécher Lesprit. Il doit être très propre maintenant, car cela fait plus de 10 minutes qu'elle s'est attelée consciencieusement à cette tâche. Elle lui parle de son nom. «J'ai lu quelque part que vous aviez choisi ce nom-là. C'est extraordinaire, mais pourquoi ? Ne trouvez-vous pas que votre géniale et très inattendue imitation du financier George Soros, au début du spectacle, démontre une identification à un homme de pouvoir ? »

Lesprit est très gentil, très beau et comme il est complètement gelé, il ne casse pas la gueule d'Éva : au contraire il lui sourit béatement, de ses grandes dents de loup déguisé en agneau et entre très doucement dans son délire. Ce gars-là est totalement touchant et je pourrais en tomber amoureuse si je n'avais pas rencontré aujourd'hui même HCMcQ. Je ne sais pas pourquoi j'aime les salauds, les débiles, les Allemands et les Américains. Je suis la vraie fille de ma mère. *Chienne de vie...* Mais j'ai appris à dominer mon corps, à faire de lui ce que je veux. Il marche à coups de trique et il doit suivre ma cadence. Je ne cède à rien, et surtout pas au charme. Olga-Mélie veut me présenter Lesprit. C'est pour mettre fin à la conversation d'Éva avec lui. S'il continue à se faire lécher le cul comme cela, il va avoir une irritation. Irrite-toi, the spirit, fous-lui une paire de claques à la psy. Moi, je n'ai pas envie de parler aux vedettes. J'ai peur d'être déçue. Les vedettes, je préfère les admirer de loin, les mettre sur un piédestal, en faire des statues géantes et brûler des cierges en les priant ou faire des incantations vaudou en les condamnant à mort. Je suis une iconoclaste, je suis une adoratrice, j'ai besoin d'idoles, de héros et de haines. J'ai peur que Lesprit ne soit pas le looser fou et naïf qu'à la fois je vénère et qu'à la fois je hais. Lesprit, je veux croire ce soir que c'est un amateur, qu'il ne chante pas trop bien, que ses mélodies sont répétitives, mais qu'il l'a. Oui, il l'a... Dans ce monde dégueulasse de professionnels stupides et coincés, l'amateurisme est un baume. Je veux que Lesprit soit comme ses chansons, qu'il dise : « La laideur du jour, la vraie laideur du jour ». C'est tout.

Je le vois tous les matins de loin sur la montagne, il y promène ses chiens et moi je suis en compagnie d'Athéna. Je dois faire des détours insensés pour ne pas le croiser de trop près, lui, Lesprit, pour ne pas lui dire bonjour, pour ne pas établir avec lui une routine, une connivence de propriétaires de chiens. Lesprit doit rester intouchable. Et quand un de ses chiens est venu renifler le cul d'Athéna, j'ai tremblé. S'il devait venir me parler, Lesprit, s'il devait venir rattraper son clebs, que ferais-je ? Je ne veux pas perdre mes illusions ni mes répulsions.

Olga-Mélie, elle sait tout cela, mais elle veut dire à Éva de la fermer et donc elle me présente à la star et moi je dois lui serrer la main et ne pas dégouliner, comme un vieux camembert, de honte. Je dois lui dire quelque chose de vache à Lesprit, autrement je vais pleurer. Je suis trop émue.

— Je suis la sœur de la seule choriste que vous n'ayez pas baisée. Je remarque aussi que c'est la seule qui sache chanter. De là, je déduis : ou vous avez une maladie vénérienne et contagieuse que vous refilez à vos choristes et qui s'attaque aux cordes vocales, ou vous choisissez vos choristes sur des critères étrangers à leurs capacités musicales. Dans ce cas-là, je vous conseillerais d'aller recruter les filles ailleurs, sur les plateaux de tournage de films pornos, par exemple. Là, elles ont le même genre de voix, mais de plus beaux culs...

Je suis ignoble, mais nos jours sont encore plus laids. C'est du moins ce que racontent les chansons à la mode. Lesprit est abasourdi, mais il est si gentil qu'il se met à rigoler. C'est peut-être simplement l'effet de la drogue, ce rire idiot, ou alors c'est quelque chose qui appartient à sa génération de merde, mais ce soir, je préfère croire que c'est la gentillesse. Lesprit est mon héros du moment, à moi la midinette qui ne me laisse jamais démonter et voilà pourquoi je vais être immonde avec lui. Je ne veux pas qu'il m'aime, qu'il aime une mortelle médiocre comme moi. Je veux sa haine. Je ne veux pas devoir céder. Je veux qu'on me déteste. Je veux qu'on m'haïsse. Que le monde soit blanc, que le monde soit noir. Je lui tourne le dos, à Lesprit, je crois que j'ai gagné... Éva voudrait me fusiller du regard, je lui bousille sa soirée, mais elle est en même temps complètement sous l'emprise de l'idée que je suis Antigone. Et donc, elle ne peut s'empêcher de roucouler:

— Didon, c'est Antigone Totenwald, vous ne trouvez pas, Matthieu Lesprit? Vous savez, Antigone Totenwald, le personnage de Laflamme dans *Allez, va, alléluia,* vous êtes d'accord, non?

Et le miracle a lieu, là sous mes yeux. Le miracle...

— J'ai jamais pu finir un roman de Laflamme, même en étant ben stone, je trouve ça archi-plate. Le pire, c'est que les critiques ont dit que j'étais le Laflamme de la chanson québécoise. Ça m'a assez écœuré...

Je ne me suis pas trompée. Lesprit, c'est mon idole, c'est un dieu. Je lui ferai construire des autels, des temples et je blasphémerai en criant son nom. Je ne sais pas ce qui me prend, mais je m'approche de lui et prends sa main, je lui pose un baiser précautionneusement là juste à l'intérieur de la paume et je m'en vais bien vite, pendant qu'Éva m'excuse et que Lesprit rigole, toujours sous l'effet de la drogue ou de sa génération maudite.

La laideur du jour, oh ! oui ! C'est ce que je fredonne. La laideur du jour. Youppie...

Après le show, il y a un gros party chez Olga-Mélie et Éva tient absolument à y aller. Mylène ou Marjolaine, la copine d'Olga-Mélie dont je n'arrive jamais à imprimer dans ma mémoire l'image insignifiante et bovine, a insisté pour que je vienne faire un tour et je me dis que si cette petite conne m'invite, c'est qu'elle veut me faire un sale coup. Je préfère rentrer bien tranquillement chez moi et vérifier si Umberto s'est oui ou non suicidé, je préfère penser au prochain film auquel je vais devoir prêter ma voix allemande, ma voix de doublure, ma voix de roulure. Je préfère me mettre au lit avec le journal d'Hervé Guibert, question d'oublier les écrivains vivants et leurs écrits sans imagination.

4

Je n'assiste pas à l'enterrement d'Umberto, bien évidemment. Je l'avais prévenu, cet imbécile: « Si tu crèves, je ne serai pas là. »

Je te souhaite le pire, Umberto, et le pire du pire. D'ailleurs, t'as été assez con pour te faire enterrer avec un exemplaire de ce livre infect, véritable honte pour la littérature québécoise, *Allez, va, alléluia*. Faut vraiment être dingue. On aura tout vu...

Je ne sens rien. Rien du tout. La mort d'Umberto n'est rien. Umberto n'est plus rien.

Je ne ferai pas de deuil. Umberto n'a jamais existé. Je te déteste, tu sais. Les morts sont méprisables et Umberto est le plus grand méprisable de tous les méprisables. Ce n'est pas parce qu'il se suicide qu'il peut prétendre à la grandeur de la mort aquinienne. Il ne faut pas exagérer: le suicide ne fait pas le génie. Le suicide, ce n'est rien de grandiose. Il n'y a rien de plus normal que d'en finir avec cette *chienne de vie*. Je n'admire pas tous les imbéciles qui se foutent une balle dans la tête. Umberto, tu es méprisable de m'avoir abandonnée. Tu es le plus infâme des infâmes. Si l'on ne tient pas compte de Robert Laflamme, ton auteur minable que tu n'as jamais réussi à me faire aimer, de ton Robert Laflamme dont j'essaie d'oublier l'existence depuis un an mais dont les mots m'empoisonnent.

Sur le coup, quand j'ai appris à la radio la mort du plus grand écrivain ethnique, j'ai perdu les pédales, j'ai cru que j'allais y rester. A-t-on idée de me laisser là, seule, de ne plus s'occuper de moi ? A-t-on idée d'être aussi égoïste, Umberto, et de ne penser qu'à toi, rien qu'à toi ? Moi aussi, j'aimerais bien en finir, me foutre une balle dans la tête ou me balancer dans le vide, mais la plupart du temps je pense deux secondes trois quarts à la peine qu'aurait Olga-Mélie et je me précipite sur un carré de chocolat, une cigarette brûlante ou un bonbon, quelque chose qui me redonne envie de vivre. Umberto, tu m'as abandonnée, et cela je ne te le pardonnerai pas. T'es rien qu'un salaud, et j'espère que tu brûles en enfer, qu'on te brûle les doigts, qu'on t'arrache les orteils un à un, qu'on t'extirpe les yeux lentement de leur orbite, qu'on te fait boire de l'eau jusqu'à l'éclatement de tes entrailles, qu'on te lacère les chairs, qu'on t'éventre, qu'on t'étripe et qu'enfin, pendant tout ce temps, Laflamme-de-tes-fantasmes-littéraires, Laflamme-le-fléau-made-in-Québec, est à tes côtés. Je te souhaite Laflamme, jusqu'à la fin des temps. Je souhaite aussi que ton corps pourrisse, soit bouffé par les vers et que les enfants aillent pisser sur ta tombe. J'ai mal. Si mal.

« Tou né m'aimes pas. Tou né m'as jamais aimé. » Voilà ce qu'il me répétait, le sale Italien. C'est vrai. Je n'aime que les Américains, les Allemands ou les bourreaux. Mais je me bats contre les filtres d'amour, les regards hypnotisants et la jouissance des envoûtements. Je romps tous les charmes. Je suis Athéna-la-Cuirasse, la va-t-en-guerre québécoise et je ne me prive pas de coups. Umberto m'a vue me brûler les poignets à cause de HCMcQ. Cela lui a fait un certain effet. Mais je suis comme cela, je n'ai jamais cédé à l'amour. Et je n'ai pas cédé à Umberto. Il aurait voulu que je m'ouvre les veines pour lui, que je me punisse de l'avoir trop peu aimé. Mais qu'y pouvais-je ? Que peut-on à cela ? Il me suppliait de rester, de ne pas aller en France. Il avait besoin de moi. Il avait besoin de voir mes yeux tous les jours, de me voir rire et maudire la terre entière. Il avait besoin que je le fasse mourir à petit feu.

Il jurait d'en finir avec lui-même si je le quittais.

Je ne suis pas responsable de l'amour. Je ne suis pas responsable de cette putain de vie.

Il est mort, mon Umberto. Mais je m'en fous.

« Quoi qu'il arrive, je pars. » C'est ce que je ne cessais de lui dire à Umberto, quand il crevait de douleur. Il s'est tiré une balle dans la tête dans les jardins de Villa-Maria. Alléluia... Pas très original, c'est le moins qu'on puisse dire.

Avant mon départ, l'ex-femme d'Umberto m'a appelée en pleurs. J'ai entendu sa voix nasillarde, monocorde, molle dans le récepteur de mon cellulaire, et, dans d'autres circonstances, je me serais peut-être laissé apitoyer. Mais le suicide d'Umberto me rend irritable et Rita avait cet accent italien qui a instantanément fait revivre ce salaud d'Umberto, cet accent qui a quelque chose d'un zézaiement pleurnichard. Là, j'ai éclaté :

— Je n'en ai rien à foutre d'Umberto, il est mort, que l'Italie me foute la paix. La seule Italienne respectable, c'est la Cicciolina, parce qu'elle a des gros seins et qu'elle ne les cache pas et peut-être Sophia Loren pour les mêmes raisons. Umberto n'avait même pas de gros tétons et de toi, il disait que tu es frigide. Mais va-t-il continuer à me faire chier, même mort, celui-là ? Allez-vous arrêter de m'emmerder, même d'outre-tombe ? Les gens qui se suicident n'attirent pas ma sympathie. Il n'y a rien à faire. C'est normal d'en finir, un point, c'est tout. Et comme disait Ingrid Bergman, dans nos sociétés, on meurt trop jeunes ou trop vieux. Umberto était déjà dans la deuxième catégorie. Et toi, si t'avais deux cennes de bon sens, tu te jetterais du pont Jacques-Cartier pour aller le rejoindre, ton Umberto. Son suicide... c'est à peu près la seule chose qu'il n'ait pas ratée. Fais une femme de toi. Tue-toi... *Chienne de vie*!

Voilà ce que je lui ai balancé à cette planche à repasser de Rita. Je lui ai dit la vérité et c'est pour cela qu'elle m'a raccroché au nez. J'en ai plein le cul de prêcher dans le désert.

Au moment même où l'on fout six pieds sous terre le cadavre défiguré de cet imbécile d'Umberto, moi je décolle vers Paris. Je vais prêter ma voix d'Allemande, ma voix de pute. Je fais des films pornos dans lesquels je ne suis qu'une voix lubrique et indécente. Je tourne du X. Mais je laisse mon corps à la maison. Je suis seulement une voix. Un écho. Tu comprends, Umberto, mon beau mort, rien ne peut m'arrêter, pas même la douleur qui déchire les entrailles.

J'atterris à Roissy, au petit matin. J'ai dans ma tête toutes les images du film *Frantic,* si bien que de Paris, je ne vois que la vague copie d'un de mes films préférés. Paris n'est pas aussi bien que je l'ai vu à la télé ou dans les films. Paris est banal, sale et surtout vieux. J'ai toujours eu peur d'aller à Paris. Peur d'être déçue. J'ai fait mille fois le tour de l'Europe, mais j'ai toujours évité Paris. Il fallait qu'Umberto meure pour que je mette les pieds dans cette maudite ville. L'Europe me dégoûte.

L'Europe devrait se suicider. Elle est trop vieille. Elle sent l'histoire, le pourri, le rance... Je comprends qu'Umberto ait quitté l'Italie ! L'Europe, c'est pitoyable. Il n'y a que la mondialisation qui sauvera l'Europe. « Que le monde aille à sa perte. » C'est Duras qui a raison.

La voiture du type qui vient me prendre à l'aéroport est une chic Mercedes, et comme il roule trop vite sur le périphérique parisien, je pense très fort à Lady Diana, aux poursuites à moto dans Paris, à la tour Eiffel que l'on voit vivre jour et nuit sur Internet, à toutes les images que j'aime. Et la présence de Paris, honnêtement, vient me gâcher le paysage. Qu'est-ce que Paris peut me donner de plus que ce que j'ai vu en photo ? Rien. Et vraiment, de Paris, on ne devrait garder que les clichés. On devrait raser la ville. Mais, bien sûr, c'est pas moi qui décide. Le type, complètement débile, qui conduit la voiture allemande, me dépose à l'hôtel, dans Saint-Germain-des-Prés et tout me semble si fade, qu'après un long repos, je prends un taxi pour aller manger au McDonald's le plus proche. Je déteste l'Europe. Ça pue l'authenticité, la bonne bouffe vraie, les bons vins vrais, l'art de vivre vrai... Ce que ma mère a toujours regretté. Ce qui l'empêchait d'être vraiment avec nous. Heureusement, l'Europe s'américanise. Elle va crever. Vive la mondialisation... Il n'y aura plus de nostalgie dans le monde ! Je vais donc au McDonald's bouffer de la merde, cette merde que j'aime, que je chéris, que j'adore, que je mangeais enfant et qui nous emportera tous dans une grande crise cardiaque collective. Vive le gras ! Que l'on en finisse avec la connerie ! Vive le gras mondial, et même les pays pauvres en rêvent !

Quand je me retrouve sur le plateau de doublage, je constate que presque toute l'équipe est allemande.

Je vais prêter ma voix germanique à la dominatrice de service. Une francophone parlant allemand, cela donne une certaine sensualité aux scènes, un petit quelque chose qui fait frissonner. « A French Twist », pour parler international. Mon accent adorable n'est pas sans leur rappeler la guerre, les collabos et toutes leurs atrocités aux Boches. Mais pour l'accent, je dois me forcer. Je suis payée pour faire semblant d'en avoir un.

Les deux Allemagnes, désormais réunies, dans leur absolue totalité, vont vivement et très efficacement se branler l'une l'autre en m'entendant dire à la voix du PDG d'une grande société dont la fortune remonte aux années 30-40, « schnell », avec mon accent à la française. Les Allemands aiment le « schnell » français : ils aiment ce faux retour de l'histoire où Paris fait semblant de les enculer, mais dans leur langue à eux, aux Boches. Dans leurs règles à eux, à ces hosties de crosseurs de merde. Le « schnell » français est porteur et c'est comme cela que les Allemands sodomisent l'Europe, en faisant dire « schnell » à tout le monde.

La réunification de l'Allemagne est un grand cirque. On unifie, on désunifie, on réunifie, on joue avec les capitales et on te baise l'Europe encore une fois, mais en douceur et avec la complicité de la victime, qui va vous lécher le cul, gratuitement. Viens, que je te lèche, viens que je te suce, ma grande Allemagne réunifiée, mon grand Berlin blessé. Les Allemands en ont marre de la passivité des Européens. Pour bander, ils veulent se faire croire eux aussi qu'ils peuvent être dominés et moi, je suis là pour cela. Tout simplement. J'ai mieux qu'un fouet Braun. J'ai le faux accent à la française. J'ai de quoi faire bander toute la grande Allemagne toute neuve et même l'Autriche, si je veux.

No problem.

Les producteurs veulent se payer un remake porno de la Seconde Guerre mondiale. D'un côté, les Ritals et les Boches en victimes. De l'autre, les Françaises, les Anglaises, les Canadiennes, les Américaines et même les Russes en bourreaux... Ce n'est pas très malin. Le genre d'histoire débile à la Umberto. Et pourquoi pas ? L'uniforme nazi ou fasciste subjugue tout l'Occident depuis plus de 50 ans. Dès qu'on peut, aux États-Unis et ailleurs, on fout un Nazi pervers dans les films, question d'exciter les foules. Pourquoi qu'ils en profiteraient pas, les Allemands ? Ils seraient bien cons, et cela, ils ne le sont pas.

Les Italiens germanophones qui travaillent sur le plateau avec moi me draguent. Je ne sais pas pourquoi j'ai la cote avec ces mecs-là. Vont-ils me ficher la paix, les Italiens, oui ou non ? Cela leur suffit pas les 75 chaînes pornos ? Ça leur suffit pas de zapper au gré de leur libido ?

À Montréal, je fais tous les accents possibles. On m'engage pour imiter tout ce qui n'est pas de chez nous. Je suis le multiculturalisme à son meilleur, l'ethnique de service, celle qui peut toujours cocher dans la catégorie « autres ». Au Québec, on parle trois langues, le français, l'anglais et l'autre. Je suis la spécialiste de cette dernière. Je n'ai jamais compris pourquoi on apprend si peu les langues étrangères ici. On aime mieux fantasmer sur l'anglais, rester dans le ressentiment et se dire qu'après tout, on est capables de l'apprendre, la langue des ennemis, qu'on est capables de leur parler aux grands de ce monde. Bien sûr, on est capables du pire... C'est pitoyable, le Québec ! Cela me donne envie de pleurer ! Quand je travaille en traduction ou quand je fais l'interprète, je deviens enragée. C'est l'obsession d'un français normatif. C'est la sécheresse de la langue. On veut un français pur, un français nettoyé des anglicismes, un français pas du tout contaminé, une langue passée à l'eau de javel. C'est à la purification ethnique de la langue que l'on assiste. Bientôt, on critiquera Tremblay d'avoir écrit en joual et on le retraduira dans les écoles. On veut une langue morte. Ben, on va l'avoir... Il faut voir ce qui s'écrit au Québec... Il n'y a que Laflamme qui sache encore la maltraiter, la langue. Et pourtant, ce n'est pas mon genre d'en dire du bien de celui-là.

Je ne supporte plus mes langues au Québec. Je ne supporte plus d'ouvrir ma gueule chez moi. J'aime encore mieux faire entendre ailleurs ma voix germanique au faux accent français. Je préfère aller vendre ma voix de crécelle dominatrice à quelques Allemands lugubres. C'est dire...

Dans l'immeuble où a lieu le doublage des films, la concierge veut sympathiser à tout prix avec une Canadienne, comme elle dit. Je lui explique que le Canada n'est rien pour moi, juste « un flag sur le hood d'un char ». Le Canada, je n'en ai rien à branler. Cette idiote me confie qu'elle a eu un fiancé canadien pendant la guerre, et que cela lui fait tout drôle d'entendre les Allemands dans l'immeuble. Qu'ils étaient là en 44, à dire déjà « schnell » et qu'elle a la frousse quand ils parlent. Elle a peur encore des rafles. Cette femme, qui m'est d'ailleurs absolument antipathique et que je soupçonne d'avoir donné des juifs pour rien, pour plaire au pouvoir, pour lécher le cul allemand, me raconte que dans le village de Provence où sa fille joue à la bergère baba cool, « ils » achètent toutes les maisons. C'est sûr qu'ils peuvent se le permettre. « Vous savez, en fait, ce sont les Allemands qui ont gagné la guerre », me dit la vieille collabo.

Moi, si j'étais allemande, je me suiciderais ou je deviendrais philosophe. Je le sais, je ne pourrais supporter la honte et l'horreur. Si j'étais fille de Boche ou de « Bochesse », je me ferais la peau ou je me mettrais à penser sans arrêt à des atrocités, question de ne pas oublier qui je suis. Je leur cracherais à la figure à mes parents, je les torturerais ou encore je leur paierais un voyage en Israël. Mais chacun porte sa croix à sa façon et, bien sûr, ils font comme ils veulent. Moi, je suis fille d'immigrants. Je ne me suicide pas. Je rate mes sorties. Les enfants d'immigrants n'ont même pas le droit de se supprimer. Leurs parents ont fait tellement de sacrifices pour eux... C'est pas la fin d'une race, l'immigration. Au contraire, cela repart son monde. On va ailleurs, et hop ! on recommence le tout... C'est ignoble, tout cet espoir. Mais, il y a pire que d'être allemand, il y a être polonais. Je me suiciderais davantage si j'étais polonaise. Il faut mettre les pieds à Auschwitz pour comprendre. Il faut les entendre, ces cathos, dire encore du mal des juifs pour bien comprendre l'ampleur de la situation, il faut voir leur haine à ces gens-là pour vraiment se suicider en tant que Polonais potentiels. Mais il y a encore pire que tout cela. Pire, pire et repire : il y a les enfants d'immigrants. Ça, c'est le plus abject; ça, c'est ce que je suis.

La vieille dame m'emmerde à me parler de sa vie. Je lui dis que ses propos ne m'intéressent pas, que je suis fille d'immigrants et que ma vie est un fiasco. Elle ne comprend rien mais elle a l'air d'accord. Comme je ne veux pas que notre rencontre finisse par un consensus, comme je ne veux rien partager avec cette sale collabo, je lui lance : « Si j'étais concierge comme vous, dans cet immonde Paris, avec une vie aussi triste que la vôtre, cela ferait longtemps que je me serais supprimée. » Et là-dessus, je pars en courant.

Il fait plutôt froid, il fait plutôt venteux, il fait de mauvais rêves qui s'engouffrent sous mon crâne, il fait de la neige grise qui me traverse le corps et Paris m'apparaît comme une mauvaise prémonition. Ce sont des heures d'ennui sur le plateau de doublage, des heures allemandes efficaces et banales qui me poussent à rappeler, par un soir de déprime, un de mes amis québécois qui vit en France depuis dix mois. Il m'invite aussitôt à aller avec lui à une fête « on ne peut plus parisienne ».

— Tout le monde sera là. J'ai promis de t'amener. Je vais te présenter comme ma petite amie. Tu vas être la reine de la soirée.

J'ai pas envie d'être seule un autre soir, une autre fois. Seule dans cette ville morne, seule dans cette ville moisie... Je suis laide. J'ai le visage couvert de pustules et de boutons, je suis moisie, moi aussi, comme Umberto qui pourrit en ce moment au cimetière de l'autre côté de l'Atlantique. J'ai peur du gris, du noir et de la nuit. J'ai peur de rêver encore à lui, de le voir encore dans le coin gauche ou droit d'un de mes rêves et de devoir lui dire de foutre le camp. « Va-t'en, sale fantôme italien, viens pas gâcher mes nuits, viens pas pourrir ma vie. Va-t'en. J'suis pas Hamlet, t'es pas mon père. Même si j'te l'accorde, il y a vraiment quelque chose de pourri au royaume des vivants. » Je vais donc me promener du côté de Christian, du côté des imbéciles heureux, du côté de ceux qui passent des journées à ne pas se demander de quelle façon ils vont mettre fin à leur vie redondante, à leur vie sans vie, à leur vie de cadavres ambulants.

Je suis sur le boulevard Saint-Germain, mais je me sens à Montréal, au coin d'Ontario et Saint-Denis, un vendredi soir en plein été. Et j'ai soudain chaud, et mon cœur s'étire, s'enfle de tristesse, de n'être pas chez moi, de n'être pas à la maison et de ne pas subir la douceur de mes habitudes. Je hais le Québec, bien sûr. Je l'haïs. On ne peut qu'haïr le Québec, le détester pour sa petitesse, ses ratages, sa morosité, sa frilosité face à tout engagement, sa lâcheté, ses Robert Laflamme... Maxime Le Grand, mon ami universitaire qui a fait ses études aux États-Unis, à Harvard et en France, à la Sorbonne s'il vous plaît, après avoir été escorte pour hommes pendant deux ans, passe des soirées entières à cracher avec moi sur notre pays. Et on sait cracher. On l'haït, on s'haït, on s'haït de s'haïr, on l'haït de s'haïr et on s'haït de l'haïr. Le Québec est pour nous, bien sûr, une histoire de haine, mais pour cette haine-là, on donnerait pas seulement notre vie (qui ne vaut pas grand-chose, anyway), pas seulement la vie des autres, mais on donnerait l'impossible. Cette haine-là, c'est nous, Maxime Le Grand et Didon Apostasias. Nous, mais mieux que nous, nous en très grand, nous, en ce qu'il y a de meilleur en nous.

Je pense cela en me rendant chez Christian à pied. Et quand je le vois en bas de son immeuble qui me crie : « Allô, Didon, allô », c'est tout le Québec qui est là avec moi, dans ce lieu sans intérêt qu'est Paris. C'est tout le Québec qui danse dans mes pas, qui se soulève avec moi quand Christian me prend dans ses bras pour me faire tournoyer en l'air. Je dépose un énorme bec sur la joue gauche de Christian et je deviens toute rouge, toute timide. Cela a l'air bizarre qu'une fille aussi délurée que moi soit gênée d'embrasser un ami. Mais je ne sais pas être douce. Je ne connais pas la tendresse.

Je ne connais que la douleur et les coups. Le reste me met à l'envers.

Je marche sur un petit nuage, un nuage de beau temps, un nuage québécois et Christian me prend la main et je le suis par les rues, enivrée de la tendresse du soir. Mon petit nuage devient nuage d'orage, nuage de tempête, nuage de tourmente. Mon petit nuage se gonfle de pleurs et de foudre, d'éclairs et de furie, car voilà que je me réveille peu à peu, quand un imbécile hurle en interpellant Christian : « Qu'essektufélaa, Sauvageau ? » Je sors de mon doux rêve national. Je suis prise en flagrant délit d'utopie. Nous voilà devant un horrible immeuble parisien que je reconnais immédiatement, et mon nuage éclate tout à fait.

Christian m'a conduite sans que je m'en aperçoive à ce lieu répugnant, absolument et totalement abject, dont Maxime et moi, nous avons tant dit de mal : la Délégation du Québec à Paris. Et le colon qui vient de crier est un pur laine de Québécois, un crétin de la pire espèce, un compatriote. Plus con que patriote. Même si cela clame sur tous les toits que c'est « souverainisses », ces hosties de câlices-là.

J'ai pas envie d'aller à cette soirée, à cette soirée québécoise, bourrée de Québécois et de Québécoises qui vont faire semblant d'avoir un accent québécois, pour faire plus authentiquement québécois, même s'ils ont honte précisément d'être québécois et québécoises et que dans d'autres occasions, ils le planquent, leur accent québécois. J'ai pas envie d'écouter des histoires québécoises, des platitudes du Québec, pas envie de parler du *Devoir*, de *Notre-Dame de Paris*, de la fierté québécoise, de Céline Dion dont je me fous pas mal ou du suicide d'Umberto, cet auteur italo-québécois bien intégré à la société québécoise. J'ai pas envie du Québec, de la paranoïa québécoise, de la mégalomanie québécoise, du complexe d'infériorité québécois, de la Délégation du Québec à Paris ou à Tombouctou, de la culture québécoise et du « bill one o one ». J'ai pas envie de discuter si c'te bill-là, le « one o one », a ou non sauvé la langue française, et d'entendre dire qu'on est plus féministes cheunou, parce qu'on met un e à professeure ou à docteure. J'ai pas envie de me retrouver avec une poignée d'universitaires, d'artistes, d'écrivains québécois qui sucent le gouvernement péquiste à qui mieux mieux pour devenir les intellectuels, les artistes, les écrivains officiels « du beau pays à construire, selon la belle culture qui nous ressemble. » J'ai pas envie d'entendre dire que Marie Laberge est une grande dame, une grande dramaturge, tellement émouvante, tellement vraie. J'ai pas envie d'entendre parler de la chanson tellement vivante de Gilles Vigneault, pas envie de me faire réciter un poème tellement vrai d'un vrai poète québécois, pas envie d'avoir une opinion ironique sur Falardeau. Pas envie de me moquer des quétaines qui, comme Elvis Gratton, sont vendus à la culture américaine. Pas envie d'écouter les sornettes sur la prétendue envie des Françaises à notre égard, parce que les hommes québécois, au moins, sont pas macho. Pas envie d'être obligée de dire avec ces Québécois soi-disant épris de justice que Louise Arbour a vraiment des couilles parce qu'elle a tenu tête à Milosevic. J'ai pas envie d'entendre parler de nos capacités à être aussi bons que les Américains. J'ai pas envie de Daniel Langlois, pas envie du Québec, mais vraiment pas envie.

J'ai même pas envie d'avoir envie de me foutre dans la tête une balle québécoise ou pas, parce que le Québec me déprime. Et qu'y a-t-il de pire, de plus pitoyable, de plus triste qu'un peuple, québécois ou non, qui tente de se remonter le moral en se faisant accroire qu'il est capable ? Qu'y a-t-il de pire qu'un endroit du monde qui est toujours en train de chercher de la reconnaissance pour se mettre à exister ? La démocratie ici est un leurre et même si la souveraineté passe un jour, ce sera cette souveraineté rampante qui a quelque chose du reptile et de la grenouille qui veut se faire plus grosse que le bœuf. J'ai envie de tout détruire, de nous terroriser.

Québec, ma douleur, je veux être ton ennemie publique, je veux te faire exploser la baraque, et que cela saute. Québec, ma souffrance, j'ai envie que ma photo soit partout et que tu me recherches, et que tu me coures après, comme celui qui court après sa vérité. Québec, mon écœurante, je t'haïs et je veux que tu t'en souviennes.

J'ai envie aussi de mordre Christian Sauvageau, ce sale Québécois qui m'a foutue dans ce pétrin et de donner éventuellement un virus quelconque à ce type, qui a l'air de s'appeler Benoît et qui hurle dans les rues de Paris, comme s'il était encore à Chicoutimi ou à Montréal, sur la rue Saint-Denis. J'en ai marre du Québec et de tout. J'en ai marre d'être québécoise et je m'agrippe à ma colère, à ma mauvaise humeur. Je m'agrippe à pleines mains, en donnant des coups de poing qui résonnent dans la matière du monde. Je m'accroche à mes humeurs, c'est le seul truc qui me retienne dans ce monde pourri, dans ce monde québécois que j'haïs.

Mais déjà, les choses sont en train de se précipiter, les choses sont en train de devenir obscures, épaisses, l'espace autour de moi est en train de changer, les étoiles dans le cosmos tourbillonnent à toute vitesse. J'en ai presque des haut-le-cœur. Je sens que le tout chavire, je sens que le destin me happe. Les ténèbres m'absorbent. *Tout m'épuise. Je suis épuisée.*

« Le hasard nous mord les fesses. Ayoye ! C'est pour cela qu'il est capable, le petit roquet, de nous coûter la peau de celles-ci. Le hasard a le feu aux fesses. Il nous force à aller juste là où l'on ne doit pas aller. Si par peur d'être mordu, on l'évite, le petit roquet bâtard, le pauvre diable, si on ne l'attrape pas par la queue et qu'on ne lui tire pas les oreilles, on ne rate même pas le rendez-vous avec soi. On ne rate rien. Le hasard nous refait toujours le coup deux fois. Comme le facteur. Il se représentera. Quand il nous montre les dents, celles qu'il a contre nous, il suffit de lui faire peur pour qu'il claque des mandibules. On le laisse trembler. On le laisse japper, le petit roquet. Il reviendra, le corniaud. Ça ne lâche pas, ces bêtes-là.

Antigone était passée en 1961. Aujourd'hui, la revoilà. Antigone me mord les fesses et j'ai envie de me laisser faire. »

Ce sont ces mots qui m'accueillent alors que j'entre dans les salons de la Délégation québécoise à Paris, cet organisme de promotion de la culture authentique. Ces mots, je les reconnais immédiatement, ce sont, pour la plupart, ceux d'Antigone, Antigone Totenwald dans *Allez, va, alléluia,* au début du chapitre 18. Oui, c'est tout à fait du Laflamme, cela. Du Laflamme tout craché, du Laflamme réchauffé. Et cela continue, cela dévale. C'est une suite de pirouettes verbales qui me donnent le tournis, qui font de la langue une toupie ! C'est du Laflamme, ces phrases à la guimauve dans lesquelles on se retrouve toujours passifs face aux événements, où l'on accepte le monde tel qu'il est ! Le hasard qui repasse ! « Ce sera donc pour une prochaine fois ! » Pour la prochaine, si on se réveille... Voilà comment on pense la vie au Québec ! Voilà comment on est complices de l'histoire ! C'est du Laflamme, cette écriture qui ne résiste à rien, sauf à elle-même. C'est du Laflamme, ces voltiges langagières que j'ai envie de mettre à plat, que je vomis, que j'exècre. Et ce sont bien les mots de son idiote d'Antigone, au Laflamme, que cette femme sur l'estrade de la Délégation du Québec à Paris continue à clamer, jusqu'à me coller la nausée.

Je hurle intérieurement. De quoi s'agit-il ? Encore lui ? ! N'y a-t-il qu'un seul écrivain au Québec ? Pourquoi parle-t-il d'Antigone, ce gros porc à Laflamme ? *Allez, va, alléluia,* c'était en 1961. Ils vont quand même pas ressortir un vieux truc comme cela. Peut-être qu'il est crevé, le salaud ? C'est sûrement cela... Il est mort, et il n'y aura plus de livres minables écrits par lui. Mais les gens ont l'air détendu, heureux. J'en déduis que nous ne sommes pas à un enterrement, ni à un hommage posthume, quoique la circonstance de la mort du grand homme devrait en réjouir plus d'un. Non, ce n'est pas cela. C'est quelque chose de plus grave.

Ce soir, c'est la soirée des fantômes. Ce soir, ils vont tous m'apparaître, ils vont tous être là et même le grand fantôme du Québec va venir me hanter, ce fantôme d'un pays qui n'existe pas. Ce soir, les spectres vont me narguer. C'est quelque chose que je sais, que j'ai toujours su, quelque chose qui me fait des signes pour que j'avance ou que j'en finisse, quelque chose qui clignote dans la substance noire du destin. Lazare a raison. J'ai tout refusé, j'ai tout détruit par ma rage, par mes colères. Je n'ai cédé à rien. Mais on ne peut échapper à son destin.

Ce soir, toute ma haine va m'apparaître, tout ce que j'aurais pu aimer va être là, à mes côtés. Mais je n'ai pas pu aimer. J'ai dû tout maudire, tout renier. J'ai dû crier, hurler pour ne pas accepter d'être séduite par la médiocrité des choses, par la facilité d'un bonheur résigné. J'ai résisté. Ce soir, les spectres sont là et je vais devoir décider si je vais les rejoindre, si je cours à la mort ou si je me décide à passer à l'action. Ce soir, c'est le bal des fantômes. C'est le grand bal de la mort. Ai-je envie d'aller danser parmi les cadavres ?

Dans un coin de la pièce, pendant que les gens sont en train d'applaudir à tout rompre, le spectre d'Umberto est là. Le spectre me regarde de ses grands yeux doux, de ses grands yeux tristes, de ses grands yeux de vache alpine :

— Laissé-toi aller, Annetigonnée, ma Didon, pour oune fois, abandonné-toi à ce qui arrrive. Accepté la vie comme elle est. Vis. Sois heureuse. Ne rêvé pas d'un Québec grandiosé. Aimé passionnément. Jé né souis plou là. Jé né t'embêterai plou. Abandonné-toi à la vie. Cède aux choses et aux êtres. Tou as le droit d'apprécier Laflamme. Tou as le droit d'êtré sédouite. Il n'y a rien à envier aux morts.

J'ai envie de pleurer, j'ai envie de m'évanouir, je ne suis là pour personne et mon beau spectre a presque raison de moi. Mais je ne cède pas, je ne cède jamais : « Fous le camp, sale Italien ! Qu'est-ce que tu fous ici, à la Délégation du Québec ? Ils ont jamais pu te sentir au Québec. Ils te toléraient, voilà. Et ils ne te font même pas d'hommage, alors qu'ils sont en train de faire une soirée à ce connard de Laflamme... Il a fallu que tu viennes, il a fallu que tu sois là. Tu l'aimes tellement, le grand homme, tu l'admires tant... T'as pas compris, tu seras jamais un des leurs. Fous le camp, sale immigrant, sale ethnique, je veux plus te voir. J'ai peur, Umberto, va-t'en... » Le spectre disparaît en me fixant doucement, de plus en plus imperceptiblement. Il s'efface, se résorbe dans la matière blanchâtre du néant et j'ai l'impression que je suis au bord des larmes.

Je ne cède pas. Surtout pas à moi-même.

La vie est chienne. *Chienne de vie.* Autour de moi, dans la salle de réception de la Délégation du Québec à Paris, ça applaudit à tout rompre. C'est chaleureux, le Québec... Un grand peuple très chaleureux, très latin, très émotif... Y a pas à dire, on a le sens de la fête, nous les Québécois. On a une grande culture nationale, on a de grands écrivains à ovationner, on a de grandes dates à commémorer. Comme le 20 mai 1980, où tout ce beau grand peuple si chaleureux, si humain, si fier a voté à 60 % contre l'indépendance. Comme le 31 octobre 1995, où ce pays si extraordinaire, si reconnu dans le monde, a voté encore et toujours, dans une grande rigueur de pensée, avec cohérence et fierté, contre un destin. On en a des belles dates... On a donc des grands écrivains, qui lancent des beaux grands livres à Paris. On a une grande littérature reconnue partout dans le monde, et même à la Délégation du Québec à Paris. Y a de quoi s'applaudir... Pis y a de quoi se regarder les uns les autres dans les yeux, se prendre les mains, comme si on vivait un grand moment, lorsqu'on est en train de lancer à Paris un autre beau grand livre de ce remarquable et brillant écrivain québécois, Robert Laflamme, qui est reconnu sur la planète. Y a de quoi être fiers de ce Laflamme que les Français apprécient tant... Et Dieu sait qu'ils sont difficiles... Y a de quoi se dire qu'on s'aime et qu'on est contents d'être ce qu'on est, même si l'on vient d'un coqueron.

Sauvageau, lui qui n'a jamais lu un livre de sa vie, lui qui a déjà voté pour Mulroney dans les années 80, lui qui était pour le Lac Meech, lui que je soupçonne d'avoir coché la case du non aux référendums mais qui a jamais osé me l'avouer de peur que je lui arrache les yeux ou les couilles, Sauvageau, ce niaiseux illettré, presque analphabète, est en train de vivre un grand moment de chaleur humaine. Il est heureux d'être québécois, d'être là, parmi nous tous, à la Délégation du Québec à Paris, et pour un peu, il me prendrait dans ses bras. Il a les larmes aux yeux, l'enfant de chienne. Et si j'avais pas vécu ce moment douze mille cinq cents fois, si j'avais pas pleuré si souvent avec une gang de chums, des vrais Québécois, un 24 juin ou à un lancement d'un livre quelconque, si j'avais pas été émue à en mourir à la sortie d'une représentation de *Bonjour, là, bonjour,* ben je tomberais dans le panneau. Hostie de conne. J'en aurais moi aussi des larmes. Et des grosses, et des grandes, dont je pourrais être fière. Je me sentirais émue, heureuse et pleine d'espoirs. Mais je ne cède pas. Je ne veux plus céder à cela.

Le Québec m'a fait tellement mal, le Québec est tellement abject, tellement laid, tellement crétin, tellement pervers, qu'en les voyant se masturber, tous ces Québécois à Paris, tous ces impuissants du Québec, en voyant toute la Délégation jouir lâchement, collectivement dans cette orgie d'autosatisfaction qu'est le lancement du dernier Laflamme, en voyant tout le monde si heureux d'être québécois, sans avoir néanmoins plus de conviction que ma chienne Athéna, quand elle me regarde pour recevoir mon pardon après une bêtise, j'ai envie de leur vomir à la face. J'ai envie de vomir sur le Québec, sur Sauvageau, sur le champagne que l'on sert. J'ai envie de leur chier dessus, à tous ces Québécois. L'avenir du Québec sera turbulent ou ne sera pas et je vais leur montrer, moi, ce que c'est que la fierté. C'est pas la Délégation du Québec à Paris qui va sauver le Québec, bande de caves. Ce sont ceux qui fabriqueront des manifestes pétaradants, des livres-bombes, des films qui feront voler en éclats toute cette belle fierté-là, tout cet establishment pourri du bon goût. Celui qui sauvera le Québec, c'est un artificier, un faiseur de terreur. C'est peut-être un Laflamme, un Laflamme-comme-on-ne-le-reconnaît-pas, un Laflamme-pas-encore-défiguré-par-l'idée-de-la-grande-littérature-québécoise-exportable-à-travers-le-monde, un Laflamme-avant-que-vous-l'ayez-neutralisé. Parce qu'au Québec, il faut hurler. Il faut que cela ait peur pour que cela se réveille... Et j'espère qu'un jour, bande de caves, vous aurez peur, peur de moi, Sappho-Didon Apostasias.

— Qu'est-ce que tu as, Didon? me demande Christian. T'as déjà lu du Laflamme? Paraît que c'est vraiment bon. Regarde la couverture, ça s'appelle: *Ça va aller.* Paraît que c'est la suite de son livre *Allez, va, alléluia.* Mais je l'ai pas lu, celui-là.

Les astres me font des signes. Le firmament est envahi. Je chavire, je glisse vers le fond du temps noir et lourd. Je suis noyée par le sens. Parce que dans cette histoire incroyable, mon destin s'écrit. Sans moi. J'arrache des mains le livre de Christian et lis à toute vitesse les premières pages de *Ça va aller.* L'écriture de Laflamme «court, allégrement, trotte, puis s'emballe, se cabre», comme il l'a lui-même écrit dans *Allez, va, alléluia.* Je me laisse emporter par les mots, par la rapidité de mon existence. Laflamme-tel-qu'il-me-gâche-la-vie vient d'écrire un livre sur sa rencontre avec une jeune femme, son Antigone à lui. Le fantomatique Laflamme, le grand absent de nos médias, vient de donner au Québec 450 pages insipides sur les rapports imaginaires qu'il entretient avec une jeune femme qui est venue le voir un matin où il pelletait la neige de son entrée de garage, devant sa maison minable, dans le nord de la ville. Laflamme signe 450 pages de merde psychique où il s'étale sur le comment et le pourquoi il a fini par toucher Antigone Totenwald et la baiser dans un motel sordide de Ville d'Anjou. Laflamme-de-nos-folies-nationales vient d'écrire ma rencontre avec lui, ou plutôt sa rencontre avec moi, puisque ce salaud, ce bâtard, c't'hostie de chien sale a décidé de me voler mon histoire, de me voler jusqu'à mon identité, pour faire de Didon Apostasias son personnage, pour faire de Didon sa muse, son fantasme, son vidéo à masturbation.

Laflamme-votre-mirage, cet obsédé sexuel, a passé la dernière année à se branler sur nos deux rencontres et le Québec entier va se pâmer encore sur le génie de l'écrivain, sur son talent sans cesse renouvelé, sur sa grandiose inspiration digne de notre souffle collectif national. Le génie de Laflamme, c'est my ass... très littéralement. Et je pense que je vais le poursuivre, cette espèce de gros plein de soupe. Je vais faire des incantations pour qu'il crève d'une crise cardiaque en pelletant sa neige.

À la colère succède immédiatement l'effroi. J'ai l'impression de toucher du doigt mon destin. Un gouffre s'ouvre. Que faire ? Je n'ai jamais cédé.

Je peux me mettre à hurler à pleins poumons, contre Laflamme, contre le Québec et surtout contre le Québec de Laflamme-tel-qu'on-le-désamorce-politiquement. Je connais mes cris. Je connais mes colères. Mais quelque chose en moi voit aujourd'hui la vacuité de ma révolte. Ma colère n'est que comédie, un travestissement de mes folles envies de la mort. Avec le coup que Laflamme me porte, avec ce Québec qui m'assassine et qui m'avale dans sa médiocrité, je peux courir vers mon suicide. Je saurais en terminer avec tout cela. Je pourrais courir, voler vers la fin du texte et mettre en rouge un énorme point à ce mauvais roman de Laflamme dans lequel ma vie s'enchâsse depuis déjà trop de temps. Je pourrais me défaire du personnage d'Antigone Totenwald, une fois pour toutes. Je pourrais me débarrasser de cette adolescente attardée qui ne vieillira jamais. Je pourrais me foutre moi-même aux vidanges du temps. Il me suffit de me précipiter vers la mort toujours trop lente, toujours trop absente. Ma vie s'est écrite sans moi, à travers les 450 pages pensées par un autre, à travers une histoire québécoise qui me file entre les doigts. Je pourrais la récupérer, ma vie, en me donnant un suicide grandiose. Je pourrais dire : *Tout est fini.* Comme Hubert le Magnifique. Puis-je décider de mon destin ? Je l'ai toujours cru. Mais maintenant, une voix en moi m'interdit de mourir immédiatement. Une voix en moi me dit : « Pas encore. On ne joue pas avec la fatalité. » Une voix me rappelle que je dois en passer par la fin. Mais que la fin n'est pas encore écrite. Je rêve aux fins d'Aquin, d'Aquin le Merveilleux. J'ai toujours, toujours souhaité faire de *L'Invention de la mort* ou encore de *Prochain épisode* la substance même de mes jours. J'ai toujours rêvé d'un suicide digne de René Lallemant, d'un suicide comme seul Aquin pouvait en être l'auteur, aux ides de mars, dans les jardins d'une école. J'ai toujours rêvé d'un suicide splendide et inutile, d'un suicide qui n'aurait l'air de rien, d'un suicide travesti en accident ou encore d'un suicide qui ne perpétuerait que le vide. J'ai toujours rêvé d'une balle dans la tête, de ma cervelle répandue sur un parterre de fleurs, ou encore d'un volant en plein sternum du côté de Beauharnois, d'une voiture qui se noie et du temps qui s'efface au fil des courants glacés. J'ai toujours rêvé d'être Hubert Aquin, et quand j'étais enfant, je disais souvent à ma mère qui n'avait jamais lu un livre, ou encore à Olga-Mélie qui dévorait alors Carson McCullers, en me disant que la littérature québécoise n'apporterait rien de bon aux femmes, que je serais Aquin ou rien.

Et bien sûr, j'ai tenu parole. Je suis ce rien que j'avais promis d'être. Je suis Sappho-Didon Apostasias, cette médiocre héroïne, cette pauvre marionnette désarticulée. Je suis l'Antigone manipulée tant bien que mal par un auteur québécois reconnu là où il ne le faut pas, aimé pour ce qu'il n'est pas et méconnu pour ce qu'il est. Je suis Sappho-Antigone Apostasias, personnage d'un roman québécois qu'elle ne pourra jamais aimer. Je suis Sappho-Laflamme, celle qui ne sait quoi faire du fantôme d'Hubert le Magnifique. Je suis celle qui supplie toujours mon dieu Aquin de venir me chercher dans la grande pompe de ses mots, dans la somptuosité de son dispositif funéraire.

Mais Aquin n'a que faire d'une héroïne de Laflamme. Aquin ne me répond pas. Aquin, tu n'as pas besoin de moi. Tu n'eus besoin de personne, mon dieu, et quand la balle fracassa ta boîte crânienne et fit éclater en mille morceaux la matière de ton cerveau, tu ne pensas pas à moi, ni à Laflamme, mais tu fis voler mon Québec en éclats. J'allais souvent me promener sur les lieux où tu m'assassinas sans le vouloir, en ce mois de mars 1977, et je tentais en vain de trouver sur la pelouse souillée un morceau de ta tête pulvérisée. J'espérais ce talisman avec lequel j'aurais pu te reconstruire tout entier, rafistoler la toile de l'histoire du Québec. Mais, mon dieu, pourquoi m'as-tu abandonnée? Je te cherchais sur la neige sale de la fin de l'hiver 1977, sur les pelouses renaissantes ou sur les fleurs insolentes de cet été-là, jamais je ne pus t'atteindre, Hubert Aquin. Je criais ton nom à travers toute la ville, je hurlais de douleur en sachant la suite, le prochain épisode, celui où tu ne serais pas. Et le Québec est devenu sans toi. Me voilà seule au monde et ici et maintenant et pour toujours. Et la seule voie que tu m'aies montrée, c'est celle d'une mort imminente. Mais aujourd'hui, je ne sais si je dois écouter ton appel. Saurais-je mourir comme toi? Je suis devenue une héroïne de Laflamme, je suis Antigone Totenwald dans *Allez, va, alléluia* et dans *Ça va aller*. Mon dieu, Aquin, pourquoi m'as-tu abandonnée? Je suis ta bâtarde, Hubert Aquin, l'enfant que tu ne reconnaîtras pas. Je suis celle qui n'aura pas eu lieu. Je suis condamnée à devoir m'écrire dans un autre texte, dans une autre histoire, une histoire où je ne me reconnais pas, une histoire comme on les aime, une histoire laflammienne. Sans toi.

Un jour, dans un rêve triste, alors que je venais encore une fois de me suicider vainement, je rencontrai un de tes fils. Un Aquin. J'aurais voulu le séduire, peut-être même l'épouser afin que je puisse porter ton nom et même ta descendance. Mais je compris, en rêve, en regardant ton fils, Hubert, que tu nous avais refusé toute filiation, que tu t'étais foutu une balle dans la tête pour nous confisquer la vie et le prochain épisode. Tu ne fis même pas de nous des orphelins, nous ne sommes que des bâtards et ton nom, il faudrait l'avoir arraché pour pouvoir le porter. Aquin, ton fils, je le regardai comme un frère, un frère incestueux, avec lequel, du temps, je ne pouvais rien recoudre. Je l'embrassai comme on embrasse son double et je compris cette nuit-là que pour Sappho-Laflamme, comme pour tous les autres, il n'y aurait pas d'héritage, qu'il n'y aurait pas de suite. Nous devions alors nous insérer dans d'autres récits, pas les tiens, dans d'autres lignées, pas la tienne. Nous étions les enfants morts-nés. Ceux de Laflamme. Aux ides de mars, chaque année, tu nous abandonnes, tu nous renies et beaucoup plus que trois fois. Aquin, pourquoi ne viens-tu pas gâcher la fête, pourquoi ne viens-tu pas refuser un prix, pourquoi ne nous apparais-tu pas au milieu de cette comédie et ne nous effraies-tu pas en nous parlant de ton cerveau éparpillé sur la neige noire d'un printemps qui ne vint pas ? Aquin, où es-tu ?

J'ai beau me tourner dans tous les sens, dans cette salle d'apparat de la Délégation du Québec à Paris, j'ai beau chercher désespérément quelque chose à quoi me raccrocher, mon regard ne tombe que sur de vulgaires laflammeux, complètement lèche-culs, et même les fantoches les plus serviles sont venus pour célébrer le grand homme. J'aperçois dans cette salle des hommes et des femmes que je connais ou reconnais. Le gotha s'est donné rendez-vous à la grande partouze de l'édition et se bourre de petits fours. Combien j'aimerais communier avec les autres en avalant tout rond ces petites hosties de chez Le Nôtre, combien j'aimerais partager le faux espoir québécois... Mais Aquin est parti en emportant tout futur. Et je reste les bras ballants, avec à la main un exemplaire du dernier livre de Robert Laflamme : *Ça va aller,* « un texte magnifique où pour la première fois Robert Laflamme se met en scène et raconte sa rencontre extraordinaire avec un de ses anciens personnages : Antigone Totenwald. Jamais Laflamme n'aura été aussi loin ».

Laflamme publie encore une fois chez L'Art-encore-l'art. Aquin n'a pas eu cette chance. Tout cela, c'est la faute de l'édition québécoise de l'époque, mais de cela, je préfère ne pas parler.

Le Délégué général du Québec vient me saluer. Nous nous sommes quelquefois rencontrés dans quelque cocktail germano-québécois où je servais d'interprète pour maintenir les bonnes relations entre nos deux pays. Je soupçonne cet homme très poli, cet homme absolument suave d'être un vulgaire salaud, un promoteur du Québec. Je pourrais facilement tuer cet homme, l'idée d'ailleurs me traverse l'esprit. Je le tuerais sans raison, sans passion, juste parce qu'il est là ce soir sur mon chemin, juste parce que je suis à bout et que je me demande ce qu'est mon destin. Il me raconte les dernières activités culturelles de son petit domaine parisien, me complimente sur la coupe de mon tailleur violet et me prend par le bras pour me présenter à quelques fumeux laflammeux. Je serre des mains, ma main gauche agrippée au dernier roman de Laflamme que j'ai pris sans le payer et je me retrouve d'un seul coup face à face avec HCMcQ, que je n'ai pas vu depuis notre rencontre dans son bureau. HCMcQ, auquel j'ai voulu ne pas penser pendant les 385 derniers jours. HCMcQ pour lequel mes bras ont connu la morsure brûlante de mille mégots de cigarette. HCMcQ qui est flanqué de sa femme, de sa fille, une horrible gamine savante de 10 ans et de sa maîtresse blonde, étudiante de sa femme, qui fait des câlins à l'horrible gamine. HCMcQ est donc là, lui, ce fantôme d'un amour qui n'aura pas lieu, le spectre de mon abandon à la vie. Le Délégué intervient:

— Permettez-moi, Sappho-Didon Apostasias, de vous présenter Harold C. McQueen, spécialiste de Laflamme, sa femme Cynthia, professeure à l'Université du Québec à Montréal, mademoiselle Rachel Rosenberg, l'étudiante de Cynthia qui prépare une thèse sur la littérature québécoise. Ils sont venus tout spécialement à Paris pour célébrer la venue au monde du dernier-né de notre littérature, et pour participer à un colloque international sur les enjeux institutionnels de l'écriture de Robert Laflamme. Ah! oui... J'oubliais de vous présenter la charmante petite Antigone, la fille d'Harold et de Cynthia, avec lesquels j'ai passé une si charmante soirée à Montréal, il y a tout juste un an.

HCMcQ est éberlué de me voir là, dans son petit milieu, en train de serrer la main à toute sa petite famille. S'il connaissait la honte, il mourrait immédiatement d'une crise cardiaque, d'une syncope ou d'une rupture d'anévrisme. Mais la honte, il ne connaît pas. Il est comme les autres, il vit très bien avec ses abominations. J'ai un tel dégoût pour lui que je lui tourne le dos sans lui avoir adressé la parole ou même un regard. Je ne veux pas le voir, je ne veux pas me laisser séduire par son corps si délicieux. Je ne veux pas penser à l'amour. Je ne cède pas. Je ne crois à rien et surtout pas à l'amour. Je pense seulement au nom de sa fille, Antigone, et à ses désirs incestueux quand il me pénétrait, moi, son Antigone, disait-il. HCMcQ mourra bientôt. Ça, je le sais. Je lirai sa mort à la première page des journaux. Il crèvera dans un accident d'avion, en allant à un colloque sur Laflamme. HCMcQ mourra vite, sans y penser. Je lui ai déjà écrit sa fin. C'est décidé. Voilà comment on se débarrasse des mauvais personnages en moins de deux, en cinq sec. Voilà comment on se débarrasse des désirs et des chagrins d'amour. Il ne faut pas céder.

Je cours loin de ce monde, je m'écoule hors du temps québécois, des fantômes du pays, des spectres nationaux, d'une culture assommante, je m'échappe hors de l'ennui et de la reconnaissance internationale, je prends mes jambes à mon cou. Dois-je voler vers ma mort ? Ou dois-je y échapper ? Qu'est-ce qui m'attend ? « Rien d'autre ne m'attend que ma décomposition », me souffle Aquin. Mais il n'avait qu'à ne pas se suicider, celui-là, s'il voulait qu'on l'écoute...

J'arrive à l'hôtel trempée jusqu'aux os. C'est le froid de Montréal qui me transperce, c'est novembre à Montréal qui s'est attaqué à moi dans les rues parisiennes, c'est le vent glacial de l'automne qui a atteint ma carcasse. Je me couche immédiatement, avale trop de somnifères et dors, dors du sommeil de celle qui ne connaît pas son destin.

5

Montréal en mars est parfois comme une caresse. Je pose avec délectation mes pieds dans les grandes flaques de sloche, je me laisse soulever par la douceur de l'air plus doux et j'éclabousse mon grand manteau noir en gloussant de plaisir. C'est le dégel qui, cette année, nous vient en avance, comme un messie. Que m'annonce cette fonte du monde qui m'entoure ? Que s'écoule-t-il dans ce ruissellement des eaux ? Qu'advient-il de moi au printemps ? Qu'arrive-t-il aux filles qui n'ont plus rien à perdre ? Aux filles perdues dans les rues de Montréal où il est impossible de ne pas trouver son chemin ? Que deviennent les Didon québécoises ou les Antigone des cieux floconneux ?

Les derniers mois passés à Paris ont été pour moi une véritable catastrophe. J'ai terminé mes doublages. J'ai erré dans les rues, ma tête scrutant le ciel parisien où je regardais les gros nuages amoncelés au-dessus de ma tête sur lesquels je soufflais très fort, comme sur les bougies d'un gâteau d'un anniversaire qu'on voudrait effacer. Les nuages se sont dissipés, un à un, comme les heures de mon séjour parisien, comme tous les jours de ma tristesse, comme toutes les années de ma vie. J'ai chassé le temps de mon souffle froid, la tête à l'envers, tournée vers le ciel, les joues grosses de mon oubli. J'ai balayé mon passé de mon haleine froide. Je ne suis plus rien, je ne suis qu'une attente, qu'un souffle qui peut tout emporter, tout éteindre. Je suis le vent qui me ramène à Montréal, le vent de l'Atlantique, le vent vide, celui qui déracine. C'est sur ce même vent que ma mère et ses frères se sont laissés flotter il y a quelque quarante ans, alors qu'ils partaient de Londres pour Montréal, où ils ont tout oublié. Je suis le vent qui déracine, le vent qui éventre les arbres, qui les retourne, les met sens dessus-dessous, dans les postures les plus lubriques, les racines à l'air, le cœur à l'envers. Je suis le vent vers Montréal qui finit par caresser les flaques d'eau de la rue Mentana, au coin de Marie-Anne, devant les escaliers du duplex d'Olga-Mélie, ma sœur.

J'ai refait le trajet de ma mère, j'ai encore une fois traversé les océans pour me lester de mon histoire et me voici au Québec, où l'on ne se souvient de rien, d'aucune origine, d'aucun devenir. Au Québec, où aucun futur ne revient nous hanter.

Je suis le vent devenu stagnation, le vent qui flirte avec les flaques d'eau au printemps, le vent qui fait tourner en bourrique, le vent qui te fait tourner en rond. Ainsi font, font, font les petites marionnettes de mon passé, ainsi font, font, font, les petites poupées de l'Europe, ainsi font, font, font, trois petits tours et puis s'en vont. Me voici dans le no man's land de l'histoire, dans la paralysie du temps, me voici au Québec, ce pays qui de la mémoire n'a fait qu'une devise. Celle de la rancune. Me voici chez moi, c'est-à-dire nulle part, à Montréal, sans souvenir et sans avenir.

Dois-je en finir ? Dois-je me perdre dans ma fin ? Et que dois-je continuer ? Je suis un vent qui tue les arbres. Je suis une maladie des racines. Je suis celle qui pousse à l'envers en essayant de s'agripper au ciel. Ça ne va pas. Rien ne va plus. Je suis sans histoire précise. Comme le Québec, un monde en attente d'avenir.

Je vais voir Lazare. Elle est la seule à pouvoir m'aider. Lazare n'est pas seulement mon amie, c'est une sainte. Une sainte fille, une sainte femme. Lazare est quelqu'un que j'ai toujours adoré, mais je ne lui dirai jamais. De toute façon, elle ne me croirait pas. Lazare ne croit qu'en Dieu, à la destinée et elle a bien raison. On ne peut croire qu'en Dieu. Tout le reste n'est qu'illusion. Tout le reste, c'est la vie, et dans la vie, je n'ai pas la foi. Je parle donc à Lazare de Sappho-Laflamme, de Didon-Québec, de mon impuissance toute nouvelle face à mon destin. Quand on sait comme moi ce qu'est le bien, ce qu'est le mal et ce qu'il va devenir, on n'a plus de raison de vivre, on n'a plus le droit de vivre. On doit se « deleter », pour le bien de l'humanité, pour que l'humanité ait encore le droit à sa connerie. Quand on se croit, comme moi, à la fin de l'histoire, à la fin de l'histoire québécoise, à la fin de l'espoir et à la fin du temps, on est déjà un peu morte, et c'est ce que je suis. Je suis le cadavre de l'histoire, le cadavre fragile de mon histoire. Je ne suis plus rien que tout ce savoir accumulé pour rien, que toute cette souffrance vécue en vain et que je ne veux surtout plus connaître.

Dois-je partir avec mon dû, avec mon vide ? Suis-je déjà de l'autre côté des choses ? Ai-je un pied dans la tombe ? C'est ce que je demande à Lazare, et Lazare qui est une sainte, et donc certainement pas une conne, m'écoute. Elle est d'accord :

— Faut que tu en finisses, Didon, t'as raison. Mais tu ne sais pas encore de quoi est faite ta fin.

— Je ne connais pas ma fin, c'est vrai, mais si cela continue, je peux te dire que j'y vais, j'y cours, je m'y enfonce. J'accélère. Faut-il sauter les deux pieds joints, la tête la première dans la mort, où je suis déjà, anyway? Faut-il que j'aie l'humilité extrême de m'en aller? Ce n'est pas facile, Lazare, je ne suis pas humble. Je ne l'ai jamais été. J'ai toujours eu conscience que j'étais plus intelligente que les autres. C'est cela qui m'a perdue. Mon intelligence, mon assurance, mon esprit critique, ma conscience aiguë du bien, puis du mal. Surtout du mal. Et le Québec va si mal. Mais je n'ai plus envie de le bercer, j'ai plus envie de rien et même pas de poser des bombes. Qu'il aille se faire foutre, le Québec, qu'il aille se faire voir chez les Grecs, les vrais, pas chez les néo-Québécoises de mon espèce, pas chez les immigrantes de mon acabit. Qu'il aille se faire voir ailleurs, ce maudit Québec que j'ai tant aimé. Qu'il y aille... Moi, je crois que je dois déguerpir. Je dois m'anéantir, non? Dis-moi, Lazare, dis-moi. Je dois me couler dans le néant du temps, dans l'horreur du vide, oui?

— Écoute, Didon, me dit Lazare, écoute bien, ma chérie. C'est vrai que tu dois en finir. Tu as assez gueulé contre la vie, il est temps que tu sois polie et que tu lui tires ta révérence. C'est vrai que tu dois te suicider. C'est vrai. Mais le destin t'appelle. Pas le tien, pas ton destin misérable qui n'a aucune espèce d'importance. Tu dois ravaler ton orgueil, ma chérie. Tu dois t'humilier encore un peu. Tu dois aller voir Robert Laflamme. Faut que tu piles sur ton cœur, ma grande, que tu piles sur tes principes. Tu dois t'abandonner à ce Québec dégénéré, à ce Québec qui te fait mal. Tu dois t'y abandonner. Et quand tu auras fait ton devoir, quand tu auras accompli ce que les dieux te demandent, tu pourras aller le rejoindre ton Aquin mythique, tu pourras vivre avec les morts. Mais pas avant.

Tu as encore du boulot, ma chère Didon, finit-elle en riant.

J'ai envie de lui casser la gueule à Lazare. Envie de l'envoyer chier avec son destin collectif et toutes ses conneries. Je la traite de tous les noms, la Lazare, la lanceuse de sorts. Elle me fout à la porte. Elle ricane :

— Va donc vers ton destin, Didon, et fiche-moi la paix... Je n'ai rien à faire des gamines de ton genre.

Je l'égorgerai, la Lazare. Me dire cela à moi. Elle veut vraiment que je devienne un personnage de roman ? Que je sois Antigone Totenwald dans *Ça va aller*, le dernier roman de notre grand écrivain québécois, Robert Laflamme ? Que je m'acoquine avec le maître ? Elle déconne dur, la Lazare.

Dans l'avion vers Montréal, j'ai appris en feuilletant *Le Devoir* que Laflamme venait de recevoir le Prix du Gouverneur général du Canada pour avoir écrit ce qui est désormais mon histoire : *Ça va aller*. Oui, ça va aller parce que justement on ne peut pas dire que ça aille. Ça va pas très fort. Mais cela n'a même plus d'importance. Je suis donc devenue sa créature à lui, le grand écrivain. Pourquoi suis-je revenue à Montréal ? Je ne suis plus rien. Je ne suis que ce que l'on veut de moi. Je serais donc l'héroïne de Laflamme, la matière même de son imagination ? C'est ce qu'elle me propose, la crisse de folle à Lazare...

Qu'est devenue Antigone Totenwald ? Que fait-elle, la petite épuisée, quand elle est devenue grande ? Que lui arrive-t-il après avoir sacrifié son ami Pablo ? Que se passe-t-il pour elle après la dernière page d'*Allez, va, alléluia* ? Qu'est-ce qui vient après ce : « J'ai dû envoyer

Pablo à la mort. C'était simple. C'était lui ou moi. Ce ne pouvait être moi. Pablo est mort, alléluia. J'ai envoyé mon ami traverser le Styx. Mais je n'étais que le passeur. Je n'étais que Charon. C'était lui qui devait mourir. Pas moi. Le Québec a besoin de moi. Le Québec a besoin de grandeur. Allez, va, Alléluia. » Il n'a pas tort, Laflamme, et elle a bien raison, Antigone, à la fin d'*Allez, va, alléluia.* On ne veut pas d'un personnage de roman qui se mette une balle dans la tête, qui se suicide à la fin de l'histoire ou qui s'enfonce au fond des choses, pendant que « Cuba coule en flammes au milieu du lac Léman », comme le dit Hubert le Magnifique. On a besoin de grandeur. Est-elle devenue une héroïne, la vieille Totenwald, un peu décatie ?

Qu'est donc devenue Antigone ? Selon Laflamme dans *Ça va aller,* mademoiselle Totenwald fréquente les milieux littéraires. Elle est la compagne de Robert Laflamme, cet écrivain québécois reconnu internationalement. Elle est celle qui n'est pas morte. Celle qui a vieilli, qui a persévéré dans la vie et dans le drame. Ce sont les autres qui sont morts, les uns après les autres. Ce sont les autres qui ont passé l'arme à gauche. Antigone, elle, a survécu à sa douleur. Antigone est devenue tout simplement une adulte. Ce n'est pas si mal. Il a enfin lâché les personnages d'enfant, le vieux Laflamme. C'est quand même un progrès. Antigone, c'est la muse impitoyable de l'écrivain... Elle lui en fait baver à Laflamme, mais cela l'inspire. Ils se rencontrent dans *Ça va aller* et deviennent amants. L'intrigue est simple, laflammienne. Antigone vient un jour de tempête rencontrer l'écrivain devant son entrée de garage et lui demande de lui dire qu'elle ne ressemble en rien à son Antigone à lui, son Antigone de 1961, son Antigone d'*Allez, va, alléluia.* Mais lui, Robert Laflamme, la reconnaît tout de suite, son Antigone. Il tombe immédiatement amoureux d'elle, la poursuit, cherche à la revoir, parle d'elle à son critique officiel qui incidemment la connaît bien, mais ne sait pas comment la retrouver. Mais le hasard veille sur le génie. Laflamme revoit Antigone chez son médecin, devient son amant, devient son héros. « Puisque l'auteur reste encore le seul héros », comme l'écrit Laflamme dans *Enfantineries* et comme il le répète sans vergogne dans *Ça va aller.* Puis elle lui échappe. Il la rattrape encore et toujours, et la surprend en train de le tromper. Un jour, il lui demande de le tuer, elle lui promet qu'elle le fera, elle promet tout ce qu'il voudra. Elle meurt un jour de décembre, renversée par une voiture. Laflamme lui survit et fait de leur amour minable un roman. La boucle est bouclée... Nous sommes, ne l'oublions pas, dans un roman de Laflamme, donc l'histoire ne tient pas debout, mais cela se vendra bien. C'est le summum de la littérature québécoise.

J'ai lu les critiques de *Ça va aller.* Et bien sûr, on ne fait qu'encenser le génie. Personne n'est là pour dire que Laflamme se répète, se plagie. Tout le monde célèbre l'univers autofictionnel de Laflamme, où la réalité semble se mêler à la fiction. Et même HCMcQ a écrit un article dans *Liberté* où il souligne la nouveauté des thématiques laflammiennes et la poésie qui se dégage du roman. La description d'Antigone dans *Ça va aller* correspond tout à fait à la mienne. Et ce n'est pas flatteur. Cette fille a mon corps, à croire que Laflamme-béni-par-tout-un-peuple m'a bien regardée. Mais l'homme de génie a tout de même préféré s'attarder à l'atmosphère, au langage fleuri d'Antigone. Bien sûr, Laflamme-l'imposteur, Laflamme-le-phony a volé certaines de mes répliques, celles que j'ai dites lors de nos deux rencontres, devant son entrée de garage et chez Éva, la psy, que Laflamme a métamorphosée en docteur. Cela ne serait pas bon pour le moral du Québec de savoir que Robert Laflamme-tel-qu'on-l'idolâtre va voir une psychanalyste à Outremont et que son univers si poétique est aussi le fruit de ses séances sur le divan. Je me demande ce que HCMcQ a raconté de sa propre rencontre avec moi. Il n'a pu s'empêcher, j'en suis sûre, de se vanter, le spécialiste en laflammeries, qu'il me connaissait.

Elle a peut-être raison, la sale Lazare. Je me dois de leur casser la baraque à ces hommes de lettres, leur ruiner le plaisir. Je dois peut-être me couler dans cette histoire et devenir l'Antigone de Laflamme. Après, c'est moi qui déciderai de ma mort. Je dois fomenter un plan. Je dois sortir de cette affreuse mélasse qui m'a rattrapée sous le ciel gris parisien. Le ciel livide m'est tombé sur la tête, un matin triste, un matin morne. Je dois lutter contre le ciel.

Je veux mon destin. J'y suis résignée. Je vais lui reprendre ma vie à ce gros-plein-de-soupe-de-Laflamme, je vais aller lui demander mon bien, mes répliques, mes aventures et mes péripéties. Je veux ce qui m'appartient. Ce qui est à moi, de droit.

Je reviens enragée de chez Lazare. Il est grand temps de passer à l'action. Après, je me ferai sauter le caisson, comme promis. Je dois bien réfléchir à tout cela.

Je sonne à la porte de chez Mélie. C'est Victoire qui m'ouvre, je lui saute dans les bras... De cette femme, Olga-Mélie et moi avons fait notre autre sœur. C'est la nouvelle copine de ma Mélie. Sa compagne des jours de joie. Son amie de la vie triste qui arrive à se changer en fête. Je pose mes bagages dans l'entrée de chez ma sœur et je fourbis les armes de ma vie. Je suis rentrée au bercail. C'est chez moi que je vais conquérir la toison. Je tombe de sommeil. Espérons que les nuits portent encore conseil.

Me voici couchée dans un lit, un lit d'enfant, un lit à une place, un lit comme il y en a un dans le cabinet d'Éva. Je dors, on entre dans ma chambre... Pas furtifs, pas doux et feutrés. Ces pas-là, je les reconnais tout de suite. C'est le bruit du doux corps de ma mère. C'est le tendre froufrou du soir, celui que j'entends et attends chaque soir avant de m'endormir. C'est le bruit de ma mère. Sofia, ma mère que j'aime tant et que j'appelle de toutes mes forces dans la nuit. Ma mère si étrangement belle, si parfaite. Ma mère... Elle se penche sur son vilain petit canard. Elle m'embrasse tendrement, bénit mes paupières, balaie de ses magnifiques cheveux noirs mes tempes. Ma mère m'embrasse comme si elle m'aimait. Ma mère est une sainte. Ma mère est une déesse. Et je ne sais résister à son amour. Je la couvre de mes larmes, la tiens très fort contre ma poitrine. Je ne veux pas que cet instant m'échappe, je ne veux pas que le temps me coule entre les doigts. Tue-moi, Maman, tue-moi, que je sois toujours dans tes bras, que tu me donnes toujours des baisers. Fais de tes bras l'oméga de notre amour. Je ne veux pas que cela finisse. Je suis prête à mourir de cela. Je suis prête à tout et surtout à m'éteindre dans son étreinte, à disparaître du bonheur d'être en elle. J'aime ma mère de cet amour impossible qui a gâché toute ma vie. J'aime ma mère plus que tout, plus que l'air que je respire, plus que moi-même et je m'enivre du plaisir fou d'être dans ses bras, contre ses seins, contre son cœur.

Les mères, c'est toujours dangereux. Les mères devraient avoir des pancartes devant leur maison qui nous préviennent contre elles : « Attention ! Danger ! Mère ». Il faudrait donner aux petits, en même temps que leurs vaccins contre la polio, le tétanos et la coqueluche, un vaccin contre l'amour maternel. Il faut s'immuniser contre les mères et surtout, surtout ne jamais croire en leur amour.

J'aperçois dans l'embrasure de la porte de ma chambre, un homme, Dieter, l'amant de ma mère. Il regarde ma mère et moi, il nous scrute de ses yeux vicieux et injectés de sang. Il avance vers nous, prend ma mère par la taille et lui susurre quelque chose à l'oreille, quelque chose d'affreusement laid. Je le sais, ses petits yeux de salaud pétillent. Sa narine frémit et il rigole, rigole dans le creux de l'oreille de ma mère, rit de ses horribles dents blanches toutes bien plantées, et secoue sa face rouge congestionnée. Sa face de saucisse et de choucroute. Sa face hétéroclite, tel un tableau de Jérôme Bosch, sa face de Boche. Ma mère le regarde du coin de l'œil, avec l'air terrifié. Mais elle commence à tendre son cou pour se faire donner des baisers par la grosse choucroute lubrique. Et Dieter l'embrasse sur le visage. Il me pointe du menton, plonge ses yeux gras dans ceux de ma mère, recommence à l'embrasser, et puis tout d'un coup tire un des seins fermes et pointus de la chemise de nuit de maman et l'empoigne à pleines mains. Je vois ma mère, ma petite maman chérie, se débattre à peine, sans conviction. Elle se laisse caresser le sein gauche par la grosse ordure. Il lui malaxe la poitrine, puis met sa bouche sur son mamelon pour mieux la téter, elle, ma petite maman. Il lui découvre les jambes, met sa main de singe, sa main poilue à lui sur son grand sexe noir à elle. Sur le grand sexe de ma mère à moi. Il se frotte contre elle. Je suis paralysée, je voudrais prendre mes jambes à mon cou, ne pas assister à leurs ébats, ne pas voir, fermer les yeux. Mais je reste là impuissante, à contempler l'horreur.

Je pense vite qu'il va la pénétrer là à côté de moi, sur mon lit, mon lit d'enfant, mais non... Dieter s'arrête, au bord de la congestion cérébrale, rouge d'excitation, va s'asseoir sur le fauteuil bleu dans lequel ma mère a l'habitude de venir m'annoncer qu'elle a un nouvel amant. Dieter va mettre son gros cul de fermier dans mon fauteuil, celui que je chéris secrètement et que je caresse en épousant les formes de ma mère laissées négligemment sur le coussin de duvet.

L'ignoble Dieter est là sur son fauteuil à se rincer l'œil.

Ma mère le regarde timidement et semble lui demander grâce, mais le gros porc lui fait signe de continuer, d'exécuter le plan, de continuer le massacre. Alors, ma mère se penche sur moi, embrasse mon front, mes joues rondes et blanches, m'appelle son petit, son petit chat, son brave petit écureuil, son otarie des grands jours de bal et se met à m'embrasser frénétiquement en laissant s'écouler de larges larmes de ses yeux bruns de femme grecque. J'aime tant ma mère et je n'ai jamais pu résister à ses larmes. J'aime tant ma mère que pour elle, j'annihilerais tout ce que je suis, tout ce que j'aspire à être. Je briserais ce qui est entrave à son bonheur, je détruirais son chagrin, son chagrin immense d'avoir cette fille que je suis.

Ma mère est Irène Pappas sur un écran noir et blanc. Elle a en elle cette douleur affreuse de vivre et cette résignation hautaine qui coule dans les veines de sa famille depuis la nuit des temps. Ma mère est Phèdre, ma mère est Médée, ma mère est la violence de la souffrance antique un jour où le soleil n'est autre que la clairvoyance de la mort. Ma mère est la lucidité de l'horreur de vivre. Ma mère est fondation de l'Occident. Ma mère est tragédie. Et je suis sa damnation, son morbide rejeton. Je lui rappelle sans cesse que l'on n'oublie pas. Mon existence est pour elle l'épée que l'on se plante dans le foie, le couteau avec lequel on se tranche la gorge, la corde au bout de laquelle le corps se balance dans le souffle froid du vent, le poison qui nous vitriole les entrailles.

Ma mère... Je suis son suicide éternel. La folie de sa famille que mon visage lui dévoile sans cesse. Sans repos. Ma mère... Et voilà que victime du destin, ou encore de son gros Allemand, ma mère, Sofia-Médée Apostasias, va me tuer à coups de caresses incestueuses, à coups de baisers sur mon visage, puis sur mes seins, pendant que Dieter-le-führer va se lécher les babines vermillon et se masturber à deux mains, avec ses grandes paluches de paysan du Rhin. Ma mère se laisse aller à m'embrasser et à donner en grand spectacle à son vulgaire amant la douceur de nos plaisirs les plus secrets, les plus inavouables et les plus chimériques. Ma mère est là en train de vendre mon amour pour elle à son immonde amant qui a besoin de temps en temps de voir des filles faire ça et qui se délecte ignominieusement de la comédie de mon amour. Ma mère est là en train d'incarner pour ses beaux yeux à lui la folie de mes rêves impossibles.

J'entends le souffle du Boche se faire de plus en plus rapide, de plus en plus fort tandis que je sens la bouche de ma mère se poser sur mon corps et humecter le grain sombre de ma peau. J'entends le rire tonitruant du géant allemand tout en essayant, dans un geste désespéré de ma volonté, de me déprendre de l'étreinte de ma mère. Et c'est contre moi que je me bats, contre mon désir de me laisser aimer par elle, pour une fois, pour un moment, une seconde, et même pour cet instant des plus coupables, des plus terribles. Je donnerais tout pour que ma mère m'aime. Tout et même le repos éternel de mon âme, tout et même la tranquillité de mon esprit pour le restant de mes jours, tout et même moi-même. Quelque chose d'effrayant en moi accepterait ces caresses maternelles, ces baisers de l'inceste. Quelque chose de terrifiant en moi se laisserait bercer par la jouissance extatique de sentir ma mère contre mon corps d'enfant. Heureusement que le rire de Dieter me rappelle à la réalité, heureusement qu'il est là, cet enculé à s'amuser de mon bonheur tragique. Il rit fort, il rit bien, l'animal, et son plaisir s'en trouve décuplé. Son plaisir sauvage de me détruire et de la voir, elle, me réduire à rien. De la voir, elle, obéir à ses ordres, me piétiner le cœur, pourrir mon âme.

J'attrape un couteau qui est sur la table de nuit, et c'est dans le rire de Dieter, dans l'horreur de sa joie que je transperce le corps de ma mère, que je le lacère de coups. Et schlack... Chaque fois, je m'enfonce davantage en son corps. Alors, après un temps, elle se dégonfle comme un immense ballon en baudruche vide, comme une poupée gonflable un peu trop usée. J'ai crevé le vide. Ma mère n'était que de l'air.

Je me réveille en hurlant. Je suis à Montréal venue comprendre mon destin. Je suis à Montréal, chez Mélie, dans la chambre des invités et je me rue vers la salle de bains où je vomis fiévreusement mes entrailles.

Au matin, c'est décidé. Mon plan est arrêté. Lazare a raison. J'ai du boulot sur la planche. Je viens de tuer ma mère. Ma mort n'a qu'à attendre. Je m'en vais voir Laflamme, mon-Laflamme-tant-détesté. Je vais devenir son Antigone. Mais ce n'est pas le-vieux-Laflamme-à-bout-de-souffle qui aura le dernier mot. Je veux bien me couler dans son histoire, mais c'est moi qui en écrirai la fin. Cette fin, c'est l'avenir du Québec. Et cela risque de ne plus aller du tout, cela risque de barder. De nos accouplements monstrueux, à Laflamme et à moi, naîtra mon enfant. Je ferai de ma petite le plus grand écrivain québécois. Je ferai d'elle la suite de mon histoire québécoise, de cette histoire immobile, poussive et paralytique. Laflamme n'a qu'à bien se tenir.

L'après-midi même, je monte dans ma totote. Je pars. Je vais cogner à la porte du grand homme. Je sais qu'il m'attend, je sais que son livre a été une bouteille lancée à la mer, une bouteille qui annonce le retour impossible, le retour fou de sa fille prodigue Antigone. Je sais que la sale-carne-à-Laflamme m'attend, qu'il a besoin de moi, tout comme j'ai besoin de lui. Je sais que nous sommes tous les deux au cœur même de cette folie québécoise, où nous devons faire de nos héritiers et de nous-mêmes, les prophètes-bâtards d'un lendemain qui chantera. Le Laflamme-sorti-tout-droit-de-mes-rêves-les-plus-mégalomanes veut son Antigone. Quand il me voit dans l'embrasure de sa porte, il me dit: « Vous êtes là, venez, je vous attendais. » Je sais que ce Laflamme-tout-dépassé a peur. Ses paroles viennent d'ailleurs, comme d'un au-delà de lui-même. Je sais que nous sommes au bord du temps et que bientôt nous nous y précipiterons, que plus rien ne pourra arrêter la marche rancunière de l'histoire.

Le destin nous avale. Nous devenons amants, nous vivons ensemble et souvent il me prépare « du poisson grillé avec une grande salade ». Il ne se force guère, comme il le dit lui-même dans *Enfantineries.* « Mais nous finissons toujours par un dessert. De la crème glacée parfumée ou alors des crêpes fourrées à l'orange. » Mon-Laflamme-à-moi et son-Antigone-à-lui font l'amour très souvent, ce printemps-là et moi, je me coule simplement dans les mots qu'il m'a prêtés, dans les paroles folles de son dernier roman.

J'ai mon plan. Je suis là pour l'exécuter. Je me fais humble, très humble. Je ne l'insulte presque jamais, le-vieux-Laflamme. Tes mots, Laflamme, je les emprunte, je te les répète sans cesse au creux de l'oreille, et j'espère que tu sais que c'est ainsi que je te rends hommage, que c'est aujourd'hui ma seule façon de te rendre hommage, mais je les détourne aussi et très souvent je leur fais faire de folles cabrioles. Je dois détourner tes histoires. Je dois tout m'approprier. Tu ne te reconnaîtras plus.

« Comment peux-tu me dire cela, Antigone ? » que tu me demandes. Mais ce sont tes mots, écrivain, ce sont tes mots formés et déformés. C'est ta langue, Laflamme, que je triture, et même si j'aurais préféré être l'amante d'Aquin, mon destin québécois veut que nous continuions la lutte avec toi. Je me moule à tes désirs, mais je ne mourrai pas, pas tout de suite, pas sous les roues d'une voiture, pas comme tu le veux. Vois-tu, Laflamme, tu n'avais pas prévu la suite, tu avais mal consulté ta boule de cristal, la prochaine fois, tu la nettoieras mieux. Tu feras plus attention en brassant les cartes du destin. Je ne meurs pas tout de suite, Laflamme, et surtout pas de tes charmes. Je pourrais t'aimer, Laflamme, t'aimer follement, parce que tu es le Québec de ma facilité, le

Québec de ma résignation, le Québec qui me tente. Mais je ne cède pas à l'amour simple. Je résiste.

Je tombe enceinte, comme prévu, enceinte du grand écrivain québécois. Il le faut. J'aurai un bébé, Papa. Que tu le veuilles ou non, je porte ton enfant; une enfant qui, un jour, écrira des livres, qui écrira, elle aussi, une autre suite à *Allez, va, alléluia.* Antigone a eu une fille. Tu veux savoir ce qu'elle devient, la petite-fille du vieux Totenwald, la descendance de Crèvemamère? Tu m'as volé ma vie, mon-Laflamme-de-mes-amours; je te vole l'écriture, je te vole ta chair. Et je te plaque, mon faux amour, je te plaque, parce que c'est comme cela, parce que les histoires ne finissent pas toutes bien. Tu le sais mieux que moi.

« Va-t'en vite », que tu me dis, sur le bord de ta porte. « Va-t'en vite », que tu cries en pleurant, et moi aussi, je pleure, mon-Robert-Laflamme, pleure de te quitter à la fin de ce printemps désespérant. Tu as enfin compris que je ne peux que t'être fidèle. Je pars vite parce que je dois en finir, Laflamme, en finir avec toi. Ça va aller, ça ira comme tu dis. Je dois achever le destin. Vivre encore un peu.

6

Ma grossesse est une lente agonie. J'ai des envies de détruire, de tout faire exploser, de me lacérer le ventre, de déloger la chose de là, de l'expulser sans préavis, de lui casser la baraque.

Ma grossesse est une lente agonie. Mais je n'y peux rien. Ainsi soit-il. C'est ce que je me dis, c'est ce que je répète. Je suis ce destin qui n'est pas le mien. Ainsi, ainsi soit-il...

Je me suis réinstallée pour un temps chez Olga et Victoire et là, je passe les mois à gonfler comme un énorme ballon visqueux. J'enfle, je deviens une outre dégoulinante de matière, un monstre à deux têtes, une montgolfière prête à s'envoler pour des cieux pas franchement meilleurs. Il y a en moi de la haine... Il y a en moi une terreur de ce corps mou que je deviens, une fascination effarée d'être habitée en permanence par une chair qui n'est pas la mienne. La chair de ma chair. C'est ce qu'on dit en ces occasions. Oui, peut-être, mais les protubérances aussi, les cancers et les hémorroïdes, ce sont de la chair de ma chair.

Je deviens folle, je deviens aliénée. Je ne perds pas la colère. Je rage. Je fulmine. J'invective, je peste en me donnant des énormes coups de poing sur le ventre. Boum, boum, boum... La grossesse n'est pas une expérience, pour moi. La vivre est du domaine de la fiction que je m'étais construite toute ma vie. Ma grossesse est ce film d'horreur qui passait si souvent dans ma tête quand je n'étais pas encore sous l'emprise du monstre. Éva m'a dit que je refusais ma féminité. Que c'est obscène tout ce que je dis. Que la maternité est une chance, une grande chance. Un miracle. Que je pourrais être stérile. Qu'elle aille se faire foutre, Éva. Qu'est-ce que je peux lui répondre? J'explose. Je ne suis pas stérile, que voulez-vous, je suis plutôt du genre lapine, et je tombe enceinte au moindre spermatozoïde. Dans d'autres pays, ce serait une véritable catastrophe... J'accepte mon sort. Je me dois au destin. Et puis, oui, bien sûr, que je trouve cela épouvantable d'être une femme. C'est terrible de vivre avec la chair de ma chair à l'intérieur de moi. Je ne vais quand même pas refouler ma haine de mon corps. Des imbéciles me disent que je suis plus belle. J'ai envie de les piétiner, de les tuer, de les faire souffrir et même horriblement. Il y a un grand refoulement collectif dans tout cela. Dans cet éloge de la grossesse, de l'allaitement. Il y a l'oubli de la chair. La chair: ce qui me rappelle le monstrueux, le mortel en moi.

Je rêve toutes les nuits que j'accouche d'un morceau de corps, d'un morceau de chair. J'ai envie de fesser là-dedans. Je prends un grand bâton pour lui donner une forme. C'est une espèce de gros poisson, une baleine et cela gigote dans tous les sens. Un de mes amis, Anthony, m'aide à contenir cette chair qui grouille, qui est pleine de vie, qui m'attaque et qui en même temps se trouve en décomposition. Je donne des coups à cette forme immonde. Vlan, vlan, vlan... La baleine que je deviens a accouché d'un baleineau prêt à me dévorer. Je dois me défendre. Mon ami m'aide. Je me réveille en sueur. Dans mon corps, cela bat très fort. La chose en moi semble avoir un gigantesque hoquet. Comme si elle voulait m'expulser. Ne te défais pas de moi, la chose. C'est pas parce que je te déteste souvent, que tu dois prendre cela au sérieux. Tu dois encore me bouffer quelques mois et après tu m'enverras paître loin de toi, et tu continueras à littéralement me manger, à dévorer ce que je suis, mais autrement. Ma grossesse est une agonie. Ainsi soit-il. Calvaire...

Je ne résiste plus à la tentation de la chair, à la proximité avec mon délire. Je produis un être vivant. Je suis devenue une petite usine. C'est comme cela. Puisque Dieu ou quelque chose du genre l'a voulu ainsi. Je suis mon plan. J'ai voulu que les choses soient ainsi. Ainsi soit-il. Mais crisse, que c'est difficile...

La grossesse m'imprègne tous les jours les entrailles. Elle me marque. Je deviens le temps des rituels. Le temps de la nuit comme un gouffre, le temps du dos qui me déchire. Le temps de la douleur. Mais la douleur est à venir. La douleur n'est qu'une promesse. Celle de l'accouchement. Ce serait comme un soulagement. Que la vilaine chose arrive, que le miracle ait lieu. Que je puisse crier, hurler, me battre, pousser. Que le miracle de la délivrance advienne. Ainsi soit-il, calice...

Je commence à écrire. À écrire quoi ? Comment dirais-je ? des livres, des poèmes, des aveux, des confessions, des lettres, des billets doux, des pièces de théâtre, des recettes de cuisine de la vie, des rubriques nécrologiques, des chansons, des opéras baroques. Voilà, j'écris des opéras baroques. J'écris sans cesse. J'écris tout le temps. Je deviens mère et cela pousse en moi. Je fais dans la fabrication des corps, je tricote un écrivain. Je produis même la nuit. Je suis une usine à mots, je suis une usine à chair. Tout cela a de quoi me donner la nausée. Mais même dans l'inconfort, je produis. Des choses infâmes.

Je vais chez ma gynéco très souvent, de plus en plus souvent... C'est elle qui endort le monstre, à chaque visite. C'est elle qui suit l'installation de la chose en moi. Elle est là. Même quand elle enfonce sa longue aiguille ponctionneuse de liquide interne afin de pratiquer l'amniocentèse... Elle est là, même quand je la sens me sucer le ventre. Ces longues aiguilles, c'est quand même moins terrible que cette enfant qui me tète, cette enfant que je ne connais pas et dont je vois des morceaux indéfinissables sur l'écran de mes échographies. Ma gynéco est là pour me faire mal, et ce mal-là a quelque chose de rassurant. Je connais le sadisme des hommes et des femmes. Mais de l'horrible chose, qui se love en moi, je ne sais rien. Du mal qu'elle me fait, du mal qu'elle me fera, je suis totalement vierge. J'ai des envies de trahison.

Je rêve la nuit. Je sais que c'est une fille. Ça, je le sais. Une petite fille folle. Une petite fille folle de vie qui foutra, comme moi, des grands coups de poing dans la vie. Une petite fille qui me tambourine déjà sur le ventre. Ma fille... Une autre petite Antigone. Ma fille... Elle ne sera pas comme moi. Ce ne sera pas la petite traumatisée d'une Sofia-Médée. Ce ne sera pas l'enfant de l'impitoyable exil. Ce ne sera pas l'enfant d'immigrés minables venus tenter leur chance dans ce Nouveau Monde pourri. C'est bel et bien la fille de Robert-Laflamme-tel-qu'il-nous-éblouit-au-sommet-de-sa-gloire. Ma fille, c'est sa fille à lui. Qu'il le veuille ou non, qu'il l'accepte ou pas. Ma fille, ma fille à moi et celle du grand auteur québécois. C'est du moins ce que les autres disent de lui. Mais le plus grand auteur québécois n'est pas encore né. Le plus grand auteur québécois, ce sera la fille de Robert Laflamme et d'Antigone Totenwald. Parce que de cet accouplement monstrueux, incestueux, contre nature naîtra mon écrivaine de l'impossible histoire. Au Québec, rien n'existe hors de l'inceste.

Je suis attente. J'ai envie de tout casser. Je suis attente, mais je ne peux qu'attendre. C'est là ma torture. Chaque jour, j'attends la chose. Ce n'est pas que je la veuille immédiatement, ce n'est pas de l'impatience... Au contraire, souvent, je me dis : « Qu'elle prenne son temps, la chose. » Elle doit prendre son temps. Tout son temps. C'est horrible, la vie. Faut pas se presser pour tomber là-dedans. Je suis dans l'attente, je produis de l'attente. Je n'oublie jamais que je deviens elle, que mon corps se modèle à ses formes. Je veille, la surveille, cette sale chose.

Parfois, je suis un sous-marin russe. Le Koursk. Je gis au fond de l'océan et j'espère que le monde d'en haut viendra me porter secours. Que c'est encore vivant là-dedans. Je cogne à la coque. Et cela répond toujours. La sale petite chose bouge, la sale petite chose dégoûtante vit : elle a souvent le hoquet et elle tète bien fort ses propres lèvres, comme en signe de bonheur fœtal. La chose-qui-me-dévore m'écrit en morse, et même si cette forme de communication est morte depuis quelques années, la chose n'en a que faire. Elle me parle sa langue.

Alerte dans la nuit ! Ce sont les bombardements ! Je ne peux plus dormir. Jamais... La sale petite chose a décidé que c'était le moment de faire des siennes, que c'était son heure à elle de piétiner et labourer le corps déjà rafistolé de sa mère. L'immonde chose a besoin de se défouler. La malpropre de petite chose angoisse au beau milieu de la nuit et c'est à moi de la rassurer, de bercer mon gros ventre, comme on berce un étranger, de me palper la coque et de voir si je ne coule pas à pic. La chose infecte souffre, la chose immonde a mal, et déjà je donnerais tout pour qu'elle aille mieux, pour qu'il ne lui arrive rien, à la chose, même si en même temps, j'ai aussi envie de l'extirper de mes entrailles, encore vivante.

Je lutte... Jamais on ne saura combien je lutte pour qu'elle ne finisse pas dans un bain de sang, dans un bol de toilette ou étouffée par mes mains. Mais j'ai mon plan. Un plan historique. J'apprivoise la chose. Je me réconcilie avec l'abjection. La nourris. Elle aime déjà les huîtres et le chocolat, goûte encore au champagne, ne vomit pas. Ne vomit plus. Au début, je pensais qu'elle me sortirait des entrailles, que je la régurgiterais comme un mauvais repas, comme un morceau de viande que l'on ne digère pas. Mais la très vilaine chose m'a avalée, c'est elle qui m'a gobée et gloup, je suis devenue le Jonas de cette baleine qui grandit à l'intérieur de moi, en poussant sur mes intestins, en bloquant mes poumons, en donnant des coups de pied sur ma vessie, pour me montrer sa tyrannie. « Faites place, faites place », dit la maudite chose. « Poussez-vous, les organes, tassez-vous, j'ai besoin de place », dit la petite Mussolini du bas-ventre. Et moi de me recroqueviller, de me tasser les viscères pour qu'un jour elle puisse respirer. Ma grossesse est une agonie. Ainsi soit-il. Ainsi soit-il. Nom de Dieu...

Je pars, je voyage un peu, je promène la chose, je trimbale l'immondice. Je pousse mon gros ventre à travers le monde. J'échoue en Norvège. Il neige au mois d'août. Il neige sur Oslo, Stockholm et Uppsala. Il neige encore sur la savane, la toundra et la mer du Nord. Cet été-là, les marins meurent au large de la Pologne, mais la chose impure a choisi de vivre. Cet été-là, il pleure sur Paris, Amsterdam et Montréal, mais la chose immonde pousse, la chose laide s'essouffle à vivre, la chose hideuse me souffle, souffle son nom, son nom des neiges, son nom d'Amérique, son nom sauvage. Elle sème du son. Savannah-Lou. Ouh, ouh, ouh. Je me soumets à la chose. À la chose, j'obéis en tout. Je suis le plan. D'accord, sale chose. Tu seras Savannah-Lou-Marine, puisque tu naîtras de la sainte mer, que tu es Vénus Anadyomède, et que je t'ai aperçue en rêve et en rade au large de Bergen sortir des eaux froides de cet été glacial. OK, la sale chose, tu vivras en meute, tu te rassembleras en troupeau et tu seras mon petit loup des steppes. D'accord, sale chose, d'accord... tu choisis ton nom, la chose, tu te tricotes à l'intérieur de mes viscères un destin. D'accord, que je te dis. Ainsi soit-il. Putain de merde... Mais tu restes la chose immonde. Je ne veux pas trop te connaître, pas encore, t'as compris ? Je ne te sens pas.

L'ignoble chose n'a pas d'odeur. Pas de couleur.

L'ignoble chose est un écho. Ouh, ouh, ouh... L'ignoble chose est une caverne où je me terre.

Je passe l'automne dans la terreur. Dans la terreur de la chose qui me terrasse. Il y a la chose terrassante et je suis son dragon. Moi, Sappho-Didon Apostasias, moi la terreur des sept mers et des cinq continents, j'ai peur. J'ai peur de la chose.

Je passe l'automne à veiller, veiller les morts et les vivants, veiller les morts et les vivants à venir. Veiller ce qui n'a pas encore eu lieu. Souvent, j'ai horreur de ce que je suis en train de faire. Donner vie à la chose.

Lui donner aussi sa mort. Un jour, la chose mourra et ce sera ma faute. Les mères sont toujours ignobles : ce qu'elles donnent, elles le retirent du même geste. Un enfant au fil du rasoir, toujours entre vie et mort. Voici l'humaine condition.

Je prends de la place. C'est pourtant la sale chose qui m'assiège. Je n'arrive plus à bouger, à me mouvoir. Je roule la chose. La promène à travers le monde, et là où je ne peux aller, la chose m'y entraîne en rêve. Me voici en partance pour Istanbul où je dois passer un an. Gros paquebot transatlantique tangue sur les flots. Mais ce bateau, c'est moi, et la chose immonde en mon intérieur traverse les océans et les mers, pour accoster la vie. Je vais vers Istanbul, là où il n'y a pas de Grecs. Je vais vers Istanbul, Alger et Marrakech. Je vogue vers le pire. Là où la sale chose m'entraîne. J'ai la peur au ventre, la peur dans le ventre. Je me bourre de calmants imaginaires. Je ne veux pas endormir la chose. Je veux que, quand elle naîtra, elle ait les yeux grands ouverts sur la douleur du monde. Je veux ses yeux lucides. Je veux la lumière. Ma grossesse est surtout une insolence, une grimace faite à ma vie. J'ai mon plan.

Je ne sais plus dormir. La nuit, cela me réveille. La nuit, cela crie en moi. De plus en plus fort. Je sens ma mort rôder, mais ce n'est que la vie qui perce en moi, qui sourd. Et le cœur de la chose qui bat la chamade, qui rythme le temps devenu affolé. Et pourtant, j'attends. Je ne suis qu'attente. Mais la salope de chose ne vient pas. Elle est au chaud de mes entrailles. Ainsi soit-il, hostie... La chose ne vient pas. Et souvent, je la supplie, je la prie de venir, de se mettre au monde, de ne pas me laisser seule avec elle. La sale chose ne vient pas. Elle se gave de moi. Elle se gave de vie.

Une nuit, un rêve. Lazare est là. Mon amie Lazare-Tirésias. Nous sommes dans les Caraïbes, dans les mers du Sud, dans les mers chaudes de la vie. Une tempête se prépare, un raz-de-marée qui doit tout recouvrir. Je vais mourir enfin. Enfin, ce que j'ai attendu toute ma vie arrive. J'en pleurerais de joie. Alléluia. Alléluia. Mais j'aperçois le corps noir de Lazare. Elle est venue pour m'empêcher de mourir. Elle m'indique une languette de terre que les eaux n'atteindront pas, une languette-monticule sur laquelle je dois sauter pour me réfugier. J'hésite. Je voudrais mourir mais Lazare me fait signe qu'il n'est pas encore temps. Me voici à l'abri des eaux. Que la tempête commence. Les trombes d'eau s'abattent sur l'île. Mais je résiste à tout. Je me réveille trempée. Les eaux de la louve, ma fille, ont crevé. Cette enfant sait nager, me dis-je. Elle a survécu au déluge.

L'Hôpital Royal Victoria, un matin de décembre, entre Noël et le jour de l'An. L'hôpital sous la neige, sous les eaux de Lou, sous la folie aqueuse de Savannah-Lou, sous la voltige floconneuse de ma fille marine, ma petite sirène du Nord, ma fille bleue de mer, qui va me piétiner pendant vingt-cinq heures les entrailles. Ma petite fille toute blanche qui me laboure les organes et me déchire de l'intérieur.

On me perce finalement. Les médecins sont des êtres abjects. Une grande aiguille dans la colonne... Pour endormir la douleur, mais la sale petite chose ne s'endort pas. Elle pousse vers la vie. Pousse vers la sortie, et sa mère en pleurs, et sa mère en sueur claque des dents comme un cadavre, tremble comme une feuille d'automne. Vingt-cinq heures de labeur. Vingt-cinq heures de fureur, où la colère monte, où la chaleur hésite à se faire vie. Vingt-cinq heures d'horreur, où les aiguilles ne parviennent pas à bercer le cœur de l'enfant à venir. Les médecins s'affairent, les infirmiers se pressent autour du ventre-outre. Et chacun, tour à tour, sadique, violent, m'écartèle, met ses doigts gantés dans mon vagin éventré. Je ne suis plus moi-même. Je ne suis plus rien, je suis cette enfant à venir, cette épouvantable enfant qui ne vient pas. Je n'en peux plus. Mais je suis mon plan.

Au petit matin, quelqu'un parle de César, de ventre ouvert et de coutures. De haute couture. On va faire une porte à même mon corps à la chose-déchet, à l'enfant-reine. Que l'on dessine une fenêtre à la petite souveraine... Sous les projecteurs, sous les coups de bistouri, sous les tenailles et les cris gardés au fond de la gorge, sous les gémissements ligaturés, anesthésiés et étouffés, on me découpe le ventre pour aller au fond des choses, là où la vie gît. Je sais le ciseau me découper la peau. Je sais mes mains attachées et impuissantes. Un peu plus de paralysant, mesdames les anesthésistes. Je ne veux pas tout savoir. Je ne veux pas connaître les profondeurs de mon être, je ne veux pas aller là où je ne suis pas, là où la chose s'est lovée. Un peu plus de sommeil du corps, mesdames les médecins, je ne cherche pas à entendre le cliquetis des bistouris et la folie de la naissance.

Elle est là.

Dans la brume froide de décembre, dans la neige glacée de l'anesthésie, je la distingue à peine. On me dit qu'elle vit. On me dit : « Elle est très belle. » Je n'y crois pas. Je n'ai jamais cru en rien. On me dit qu'elle pèse 9 livres et 6 onces. On la pose dans mes bras, elle est là, contre mon cœur, tandis qu'en bas, tout en bas de moi, on me recoud l'utérus, on m'agrafe le pubis avec de grosses agrafes. Il faut fermer la porte de l'enfance. Il faut fermer le trou de la vie. Que la petite ne s'imagine pas qu'on retourne là où l'on a été. On ne se baigne jamais deux fois dans le même fleuve, on ne retourne jamais dans le ventre monstrueux et chaud de sa mère. On est jeté dans le monde une fois pour toutes et vlan, débrouillez-vous... *Alea jacta est*... Ainsi soit-il.

Hors de la salle d'opération, loin des projecteurs et des médecins, là où se réaniment les corps, là où l'on accueille les nouvelles mères ou les encore-une-fois-mères, j'ai la sale chose dans mes bras. Elle est là. Et mon ventre en lambeaux, mon ventre rapiécé m'empêche de la serrer aussi fort que je le voudrais, m'empêche de l'étouffer dans l'œuf, ce nouvel amour, ce ridicule amour d'à peine une heure. Je prends la parole, c'est le baptême du mot: «Je sais combien c'est dur, ce monde, je sais qu'il est horrible, mais je n'ai que celui-là à te donner. Je sais que tu as peur, ma fille, mais ta peur je la prends, je la mets avec la mienne sur l'étagère de l'histoire, et nous voilà parties, pour quelque temps, toi et moi vers la vie.» J'ai mon plan. Je chante, à tue-tête. J'ai une chanson de Barbara dans la tête. Ma bouche n'est pas anesthésiée.

Pendant des jours, j'emmailloterai ma fille, pendant des jours, je la tiendrai bien fort, aussi fort que mes pauvres forces le permettent, aussi fort que ma rage de vivre et de mourir l'ordonne. Elle a l'impression d'errer dans le vide du temps. Mes bras, mes draps et les tissus doivent la retenir. Pas de plongeon dans les trouées de la vie. Je suis là, je suis solide. Et même quand l'infirmière m'approche et m'humilie, quand l'infirmière-sergent me demande de me laver devant tous, les portes ouvertes, quand l'infirmière sadique exige l'exposition de mes coutures, mes sondes et cathéters, la rage au ventre meurtri, je pense à toi, ma fille, et à notre plan, notre plan québécois.

Ta bouche sur mes seins me dévore et m'emplit. Je saigne encore par toi, et j'accepterais tous les maux. Mais je sais que cela doit s'arrêter. Tu as tous les droits, ma fille, et même celui de me faire mal, de me lacérer de tes dents imaginaires les mamelons. Mais je dois te dire non. Non. C'est ma limite. Cela, je ne peux pas. Mes seins sont à moi. Mon ventre, je te l'ai loué. Mais il faut que je m'habite, il faut que je me hante. Je te dis non, ma fille. Ainsi ne soit-il pas. C'est ma première trahison. Te voilà donc sauvée.

Les mères sont ignobles, ma fille... Maintenant, tu le sais.

Une nuit, à l'hôpital, Umberto est là. Il est venu de l'au-delà pour se pencher sur le berceau de plastique, sur le berceau de laboratoire toujours à mes côtés. Il est venu saluer la pulcinella, il est venu embrasser la déesse.

— Jé sérai son parrain, qu'il me dit.

— Mais tu délires, mon vieux. T'es mort, t'as pas compris ? T'es plus le parrain de personne et surtout pas de ma fille. Fous le camp immédiatement, sale fantôme italien, que je ne te revoie plus rôder autour de nous ou je te donne des coups de balai, vermine. T'avais qu'à pas te foutre en l'air. T'avais qu'à rester parmi les vivants. Tu penses que j'ai pas envie de me tuer, moi ? Tu penses pas que souvent c'est vraiment trop lourd pour moi ? Et que pendant ma grossesse, j'ai pas eu envie de balancer mon gros ventre au bout d'une belle corde solide ? C'est horrible de vivre, c'est horrible de penser que tu vas donner cela à quelqu'un d'autre, à quelqu'un à qui justement tu ne veux faire que du bien. La vie est comme cela. C'est un risque terrible, mais il n'y a rien d'autre à léguer que ce risque. En fait, il y a quelque chose de bien plus horrible que la vie, c'est de ne pas mourir assez, de ne pouvoir en finir avec la vie. De venir faire chier les vivants avec ces histoires d'entre-deux. Meurs donc une fois pour toutes, Umberto. Arrête de revenir. On n'a pas besoin de toi ici. Ici, on ne sait rien, on ne comprend rien, et on se bricole nos vies comme cela, à coups de bêtise et d'à-peu-près. Laisse la pulcinella tranquille, laisse Sappho-Didon en paix. Fous-nous la paix, une fois pour toutes. Que je puisse verser une larme en pensant à toi et faire prier ma fille pour le repos de ton âme. On comprend rien ici et on n'a pas envie de savoir. On mérite l'ignorance. Ce n'est qu'à cette condition qu'on continue chaque matin. On ne veut pas des morts, on ne veut pas des savants de la vie, on ne veut pas d'eux avec nous. Va-t'en.

Umberto est pâle, Umberto est blême. Il a compris que c'est la fin et essaie de produire quelque chose de solennel :

— Ta mère, Sappho, pardonné à ta mère. Maintenant que tu es mère, pardonné-lui de ne pas avoir pou t'aimer.

— Pardonner à ma mère, il ne manquerait plus que cela. La haine, Umberto, ma haine d'elle, c'est ce qui me maintient en vie. C'est la rage au ventre, c'est la colère qui siffle dans ma tête, ce sont mes poings levés et qui frappent le vide qui m'empêchent de ne pas prendre le berceau avec moi et de nous lancer, Savannah-Lou et moi, du haut du pont Jacques-Cartier. La haine me donne une raison d'exister encore un peu. La vie est un combat contre la mort qu'elle m'a donnée en héritage.

Ma vie a été une lutte contre son désir d'assister à mon enterrement. Et j'ai gagné la guerre, Umberto. De sa mort, elle m'a écartée. Elle a refusé que j'aille lui rendre visite à l'hôpital. Elle a refusé de me tendre la main, de me dire adieu, à moi, le vermisseau de sa vie, moi, l'avorton de sa maternité. Quand même, je suis allée à son enterrement, après l'avoir vue morte et avoir vêtu son corps mort de mes mains encore vivantes, de mes mains de vivante. Quand même, j'ai choisi le lieu de son ultime demeure. Quand même, j'ai jeté violemment sur son cercueil la poignée de terre rituelle. Cela a fait toc, comme si la boîte aux morts était vide. Quand même, j'ai erré sur sa tombe des jours et des nuits. Un doux soir de juin, le jour de l'anniversaire de sa mort, elle m'est apparue. Comme chez Racine. Ma mère Sofia-Médée,

> « Ma mère Jézabel devant moi s'est montrée,
> Comme au jour de sa mort, pompeusement parée,
> Ses malheurs n'avaient point abattu sa fierté;
> Même, elle avait encor cet éclat emprunté,
> Dont elle eut soin de peindre et d'orner son visage,
> Pour réparer des ans l'irréparable outrage. »

« Ma fille, m'a-t-elle dit. Je ne t'aime pas et ne t'ai jamais aimée, mais pour avoir la paix du ciel, la paix de l'enfer, j'ai besoin de ton pardon. On a le droit de ne pas aimer son enfant, non ? Tu ne le sais pas encore, mais on n'aime pas toujours ce qui sort de son ventre, on n'aime pas toujours le fruit de ses entrailles. J'ai voulu te tordre le cou, t'étouffer sous l'oreiller de ma dureté, te jeter du haut d'une falaise de granit et te regarder te noyer dans les flots. Je t'ai voulue morte, ma fille, et toujours et encore. Mais tu restais là, dans ton impudence de vivre.

Je ne t'ai jamais aimée, Sappho-Didon. Tu es pour moi le souvenir abject de ton père, le portrait craché de ma souffrance, la réminiscence de ses couches douloureuses qui t'ont donné la vie. Je ne t'ai jamais aimée, ma fille, mais s'il te plaît, pardonne-moi. Ta haine m'appelle sans cesse ici-bas et toujours me retient. Finissons-en de la comédie de la filiation. Finissons-en de nous. »

« Mère, lui ai-je répondu. Mère, ma mère, que vous ne m'aimiez pas, cela ne me regarde pas. Que vous ne m'ayez pas tuée, cela ne regarde plus que vous. Ceci est votre tourment. Le mien, autrement plus dur, m'appartient. Mère, ma mère, Sofia-sans-sagesse, je ne peux me résoudre à ne pas vous aimer. Je vous hais à la mesure de l'amour que vous ne m'avez pas donné. Je vous hais énormément, follement, grandement, et pour la haine de vous, mère, ma mère, je ferai tout. Je ne vous pardonne rien, je n'oublie rien, je vous en veux pour tout. C'est tout. Que ce soit pour vous une douleur éternelle, cela me ferait plutôt plaisir. Au moins, ainsi, vous pensez à moi. Vous sortez de cette frigidité qui fut la vôtre, qui est encore de mise entre nous. Mère, ma mère, je vous hais à la mesure de ce qui me manque, je vous hais totalement. Je ne connais de l'amour filial que la haine, mais cela je le connais. Mère, ma mère, je ne vous pardonne rien et je crache joyeusement sur votre tombe, aujourd'hui même et pour les siècles des siècles. »

Ce soir de juin, dans le cimetière Côte-des-Neiges, ma mère pompeusement parée m'a vue cracher sur sa tombe et s'est envolée comme un oiseau meurtri en piaillant de douleur. Aïe, aïe, aïe. Elle avait l'air d'une vieille corneille blessée. D'une vieille charognarde trop maquillée. Mère, ma mère, oiseau de tous mes malheurs, je ne t'ai plus jamais revue. Et chaque année au mois de juin, pour célébrer sa mort, je vais cracher sur sa tombe.

Umberto, beau fantôme, laisse les morts en paix. Arrête d'être le messager de la mauvaise parole. Tu voudrais que je pardonne à ma mère. Cela est impossible. On ne pardonne pas à la mère qui a souhaité la mort de l'enfant. Je ne peux rien lui pardonner. Si je pardonnais aujourd'hui, je ne pourrais jamais aimer la petite Savannah-Lou. Mon amour pour elle est fait de haine, de l'amour que je n'ai pas eu, de l'amour auquel, jamais, tu m'entends, jamais je ne renoncerai. Mon amour pour la sale petite chose est fait de tous les coups que j'ai reçus, de toutes caresses que je n'ai pas eues, de tous les baisers qui m'ont été refusés, de tous les viols que j'ai subis. Tout cela, tu comprends, je le dépose tremblante aux pieds de ma fille reine, de ma fille souveraine. Et de cette mémoire de l'impossible, naît ma fille, mon amour pour cette enfant. Va-t'en, Umberto. Tu ne connais décidément rien à la vie. Va-t'en. Laisse-moi la haïr en paix.

Umberto a disparu au moment où l'infirmière noire de la nuit venait prendre le pouls de ma reine. Il bat fort, il bat vite, à la vitesse fulgurante de mon amour non apprivoisé.

7

J'ai rendez-vous à *La Cantine* avec Éva. L'atmosphère est toujours aussi branchée. Branchée jusqu'au court-circuitage de toute marginalité, de toute pensée.

— Tu t'assagis, me lance Éva, dès que son cocktail lui est servi. Tu ne bois rien, tu es sûre? C'est comme cela, dès que l'on a des enfants, Didon, toutes les femmes, et même les plus dures deviennent tout à coup extrêmement tendres. La maternité nous donne une espèce de bienveillance, de compréhension face au monde, de lumière sereine. D'un seul coup, toutes les défenses tombent et il n'y en a plus que pour la douceur du monde. C'est normal, c'est presque hormonal. C'est comme moi dès...

— Fais pas chier, Éva, avec ton univers de guimauve, avec ton univers de gomme balloune, d'instinct maternel et de mères gentilles. Fais pas chier. Il y a des mères qui tuent leur progéniture et tu sais quoi, ma grande, je ne peux les blâmer, ces femmes-là. Il y a quelque chose d'horrible dans le fait de mettre au monde, quelque chose de magnifique aussi, soit, mais des fois, je te jure que j'hésite à savoir si c'est beau ou si c'est terrible. Il y a des fois où je me jetterais par la fenêtre et le bébé avec moi, parce que franchement, je ne sais pas la réponse aux choses, je ne sais pas la réponse au monde. Fais-moi surtout pas chier avec ton univers rose, où la mort est de la couleur des tentures et du tapis dans les salons funéraires. Tu ne connais rien à rien, Éva, et surtout rien à cette légende qu'est l'instinct maternel. L'instinct maternel, ce n'est pas que cela n'existe pas, mais c'est drôlement plus complexe que les trois conneries que tu débites. Relis Freud, Éva, réfléchis une dizaine de secondes par jour. Bouge-toi la cervelle.

J'ai envie de tuer. Je ne supporte pas ce genre de discours. Je plante là Éva et décide d'aller chercher Lou à la garderie. Je suis dans ma totote, dans mon bouclier anti-niaiserie. À l'abri des cons. Mais je vois rouge. Cela pense dans ma tête. Cela parle tout seul. J'ai envie de ruer dans les brancards. Je n'en peux plus de prêcher dans le désert.

Je vais à la garderie multiethnique, comme on dit, près de chez Olga et Victoire. Je me suis installée en face de mes sœurs, et je vis incestueusement avec toutes les deux. Mes petites sœurs prennent soin de Savannah-Lou quand je suis à bout. Je suis une bonne mère. Je suis une excellente sœur. Je suis une famille à moi toute seule. J'ai toujours été fidèle à ma sœur. J'ai toujours été loyale à Olga-Mélie. Il n'y avait rien à faire. C'était comme cela. Il n'y a jamais eu de part des choses. Ma sœur avait toujours raison. Il paraît qu'Yann Andréa disait avec Duras que l'herbe était bleue. Il paraît qu'il écrasait pour elle les araignées imaginaires qui peuplaient ses crises à elle de delirium tremens. Il paraît que c'est cela l'amour. Cette folie à deux. C'est pourquoi Olga-Mélie et moi, nous nous aimons, car sur le fond, nous sommes toujours d'accord. Nous n'avons pas besoin d'en discuter, pas besoin d'en souffler mot. On s'engueule tout le temps, on se lance des injures, mais l'herbe est pour nous toujours de la même couleur, qu'elle soit jaune, violette ou or. On voit ensemble la vie en rose. Je crois que c'est vraiment cela l'amour. Ensemble, nous tuons notre mère. Nous nous vengeons de tout, d'un rien. Nous frappons dans la vie. Mélie est une terroriste. Mélie n'a peur de rien. Mélie est mon héroïne... Elle est la maman que je n'ai pas eue. Elle est mon bienheureux inceste.

Bientôt, je quitterai ce confort-là. Je détruirai ce bonheur incestueux et donnerai à ma fille l'absence de toute famille. Je dois sortir de la lignée réparatrice. M'en extirper. Ma fille est née de moi et d'un certain Robert Laflamme, mais elle ne sera la fille de personne. Même pas la fille de ma vengeance contre le malheur. Lou n'est qu'avenir.

La totote est garée devant la garderie. Les enfants sont là dans la cour. J'observe. Ils jouent. La petite Lou rigole avec les autres. Elle jouit de la vie. Elle est si heureuse quand je la conduis vers ses amis. Elle est si heureuse de me quitter, de faire sa vie à 14 mois. Je suis là, dans ma voiture. Je la regarde jouer, ma fille, je la regarde s'éloigner de moi. Il le faut. Les mères sont dangereuses. Je ne cesse de le répéter. Les mères québécoises qui ont rêvé d'un Québec grandiose sont des monstres. Je suis cette saloperie-là.

Comment élever ma fille ? Je la voudrais toujours ainsi à jouer dans la cour avec ses amis. Comment faire en sorte qu'elle ne soit pas une femme stupide ? Comment ne pas idéaliser l'enfance ? Comment faire d'elle le plus grand écrivain québécois ? J'ai tellement réfléchi à la question. Je pense tout savoir. Je pense avoir tout prévu. Mais la crétinerie nous engloutira-t-elle ? Gloup. Gloup... Comment lutter contre la facilité des lieux communs ? Je sais qu'il y a beaucoup de gens comme Éva qui ont voulu me faire croire que la maternité adoucissait les mœurs et rendait même les femmes un peu plus femmes, un peu plus belles. Mon ventre est encore une zone sinistrée et me voilà toujours au bord du suicide ou du meurtre. Je ne suis pas le réceptacle de l'évolution, je ne suis pas deux mille ans de civilisation et de programmation à la douceur maternelle. Je suis Sappho-Didon-Antigone-la-dure. On ne peut penser qu'à coups de poings, qu'à coups de couteaux. On ne peut penser que contre tout ou encore loin de tout. C'est en ruminant seul dans son trou en Autriche que Thomas Bernhard peut se permettre de la penser, cette Autriche, de voir son abomination et sa petitesse. C'est dans son trou qu'il peut écrire contre le grand théâtre viennois, contre le Burgtheater. C'est dans l'obscurité de son trou qu'il voit. Ce n'est pas en allant faire des courbettes à tous les critiques stupides d'Autriche et de Navarre. À Bernhard, maintenant qu'il est dans un autre trou, six pieds sous terre, on ne lui fait que des trahisons. On joue ses pièces dans les théâtres qu'il maudissait, on assassine tout ce dans quoi il a cru. Pour être un philosophe, un penseur ou encore un créateur, ou même simplement quelqu'un, il faut être vivant, parce qu'on est entouré de lâches qui nous lapideront notre postérité, qui feront brûler notre effigie. Mais pour penser, pour exister, il faut pouvoir dire du mal de tous et de toutes et il ne faut pas avoir de cœur. Il faut piler sur son cœur, critiquer les proches, les copains qui auront toujours des circonstances atténuantes, les amantes, les frères, les sœurs, et surtout soi-même. Il faut faire la connaissance de sa propre médiocrité et ne pas en faire une amie. Je veux que ma fille soit capable de dureté. C'est pour cela que la maternité ne me rendra pas plus douce ou meilleure. Je ne veux pas que ma fille ait cette complaisance que chacun a envers soi. Je ne veux pas qu'elle vive heureuse dans la honte refoulée d'elle-même. Je la veux fière et haineuse, je la veux grande et hautaine. Je ne veux pas qu'elle accepte tout et surtout pas la nature des choses.

J'ai toujours lutté contre ma nature parce que la nature, c'est aussi la mort. La nature, c'est aussi les champignons vénéneux, les fièvres aphteuses, le sida, les raz-de-marée, les inondations et les déluges. Si la nature était si bonne, on ne mourrait pas. Si la nature était si bonne, on le saurait. On m'a cassé les oreilles récemment à l'hôpital avec le lait maternel. Je suis devenue une ennemie de l'État le jour où j'ai retiré mon sein de la bouche de ma fille. Je suis une mère dénaturée. Une salope intégrale qui ira en enfer. Tout cela, parce que je ne veux pas allaiter. On m'a promis le pire. Et je suis sûre que je l'aurai. Dans ce monde, il faut que tout le monde soit pareil. Les femmes ont milité pendant des années pour que leurs hommes s'impliquent dans l'éducation et les soins des enfants. Mais, comme nous vivons dans le chaos le plus total, dans l'incohérence généralisée, comme nous faisons à peu près n'importe quoi, voilà qu'on retourne à l'allaitement au sein pour éloigner les pères de tout cela, après qu'on leur ait dit qu'ils étaient de parfaits salauds... Le retour de la mère, voilà ce que c'est toute cette propagande pour l'allaitement au sein. Le grand retour de la Mamma, parce qu'il faut bien castrer les hommes, parce que les femmes n'ont pas le courage d'aller jusqu'au bout d'elles-mêmes... Tout cela me fout le cafard. Continue à jouer, Lou, continue. Tu n'en as rien à cirer du chagrin de ta vieille mère. Tu rigoles dans la cour de la garderie et tu as bien raison...

Je n'ai rien contre l'allaitement au sein, ce n'est pas mon affaire ce que les femmes font de leurs seins mais c'est l'idéologie qui me tue. Ce « faire comme tout le monde, comme faire le mieux » est abject. Cela a quelque chose de profondément minable.

Comment faire en sorte que ma fille devienne son destin ?

Quand j'ai déclaré sa naissance pour qu'elle soit inscrite au registre de l'état civil, j'ai dû écrire qu'elle était de père inconnu. Cela était prévu. Mais Lazare lui dira qui est son père. Lazare s'occupera d'elle. Elle lui dira aussi qui était sa mère. Et puis, après? On n'en a rien à foutre de ses parents. C'est une origine arbitraire. On naît de la rencontre fortuite de cellules, on naît d'un ventre chaud et on va vers un destin inconnu qu'il faut faire sien.

Moi, je n'ai pas eu de père, soit, mais il ne m'a jamais manqué. Je ne sais pas qui il était et ma mère n'en savait guère plus que moi. Elle ne connaissait que sa haine envers lui. Elle pouvait peut-être penser à lui tous les jours, m'en dire du mal et tout et tout, mais elle ne le connaissait pas beaucoup, ou pour le dire franchement, presque pas. Mais c'est l'amour de ma mère qui m'a manqué. Mon père, il n'a jamais été là. Je ne sais pas ce que c'est qu'un père. C'est ma mère qui m'a détruite. Un point, c'est tout. On peut au moins lui donner cela, à cette salope. Ma fille à moi, son père, c'est le grand écrivain québécois. Je ne pouvais pas coucher avec Aquin, il est mort et ses fils ne veulent même pas de moi dans mes rêves. Et puis, cela aurait été trop triste. On ne peut pas être la fille d'Hubert Aquin. Mieux vaut être la fille de Laflamme. Cela nous évite la mélancolie et le suicide. Savannah-Lou-Marine Apostasias ne s'appellera donc pas

Laflamme. De son père, elle aura les livres. Mais pas le nom. Elle fera probablement comme le Québec, elle adulera quelqu'un qu'elle n'aura à peu près jamais vu. Elle saura son adresse, mais n'ira jamais frapper à sa porte. Elle respectera le génie. Qu'est-ce qu'on peut vouloir de plus? Est-ce qu'il y a une figure plus paternelle que le vieux Laflamme, qui erre dans nos inconscients, comme un fantôme bon enfant? Laflamme, c'est pas le père d'Hamlet, c'est pas le père vengeur. Laflamme, c'est pas le père-sévère qui viendra nous juger. Laflamme, c'est le bon père québécois, un tantinet égoïste, absent, merveilleusement absent, mais qui réussit et qui doit s'absenter pour son travail. Laflamme-tel-que-nous-le-spectralisons, c'est le papa-origine de ma fille. Et nos origines, on les trahit. Et avec lui, elle fera comme nous tous, elle lira ses livres.

Je ne sais pas si elle va lui ressembler. Nous, les enfants de Laflamme, nous sommes bien fatigués, nous avons les traits tirés, et l'on ne sait plus faire autrement que plagier le père. Je ne sais pas si elle aura les yeux, le nez ou encore la plume de son père. Mais je sais qu'elle n'aura pas son nom. Notre lignée est une tragédie. Une tragédie où ma fille est le fruit de l'inceste. Moi, la fille spirituelle de Robert-Laflamme-tel-que-le-Québec-le-massacre-le-consacre, moi son Antigone à lui, je couche avec mon papa et de nos amours illégales, nous avons une fille, à la fois fille et petite-fille du grand homme. Savannah-Lou, ma fille, ma sœur. Savannah-Lou Apostasias. Quelle lignée... J'espère que Lou se moquera de tout cela.

C'est cela le Québec, des tas de lignées complètement tragiques, des filiations cauchemardesques, mais tout en faisant toujours semblant que ça va bien, que ça va aller. Je ne sais pas ce qu'on devient quand on est la fille ou la petite-fille de Robert Laflamme et que Papa ne veut pas de nous pour progéniture. Je ne sais pas si l'on devient bonne ou mauvaise, si l'on écrit la suite de l'œuvre de son père en la trahissant ou si l'on continue à faire encore et toujours comme si de rien n'était. Je ne sais pas encore ce que ma fille écrira. Mais elle écrira. Je ne sais pas ce que deviendra le Québec, ce Québec, héritier illégitime de Laflamme. Ce Québec qui veut rafler la succession. Il y a quelque chose de dérisoire ici et de profondément tragique que l'on refuse de voir. C'est partout pareil... Mais ailleurs on n'y est pas, et puis c'est peut-être mieux. Il faut espérer que tout n'est pas partout pourri. La fille illégitime de Robert Laflamme deviendra ce qu'elle pourra être. Et si un jour, elle doit en passer par le scandale et la provocation pour que son père la reconnaisse, si un jour, elle a besoin de s'en prendre à l'image de son grandiose de papa, si un jour elle a besoin de l'empêcher d'avoir le copyright sur le génie québécois, ce ne sera pas plus mal.

Je me surprends aujourd'hui à avoir une profonde affection pour Laflamme. Je pense même parfois que ce n'est pas un trop mauvais écrivain, et tout le mal que j'en dis et que je redirai sans aucun remords, c'est aussi pour que son image ne devienne pas celle d'une vieille momie québécoise, d'une vieille mamie surpuissante et gâteuse. Laflamme, vous nous le gâchez, et moi j'ai décidé de le gâcher un peu plus, mais pas comme vous, pour que vous puissiez voir ce que vous lui faites, ce que vous nous faites, ce que vous vous faites. De Laflamme, nous serons les enfants naturels. D'Aquin, nous sommes les bâtards. Il faut penser au règne animal pour comprendre cela. Laflamme, même s'il ne veut pas de nous, on lui ressemble. Il ne nous reconnaît pas nécessairement, mais il peut se reconnaître en nous. Un jour, il nous croise dans la rue, il lit une phrase dans les journaux, il pose les yeux sur une critique littéraire, et vlan, cela lui saute dans la face. Il a fait des petits. Il a semé son style un peu partout. Laflamme est en nous, qu'il le veuille ou non, et on le perpétue à travers nos œuvres, nos grandeurs et nos médiocrités. Ce serait intéressant de savoir pourquoi nous ne sommes pas ses enfants légitimes, pas ses enfants tout court. C'est comme s'il ne voulait jamais nous passer son nom, le vieux Laflamme. Il garde cela pour lui, rien que pour lui. Il n'a que faire de sa descendance. Il en a écrit l'histoire à l'avance. Une histoire qui tourne en rond. No future.

Pourquoi l'absence du nom du père au Québec ? Pourquoi l'absence d'un nom fondateur, d'un nom qui se passerait d'une génération à l'autre ? Ce n'est pas moi qui vais vous régler cette question. Pas moi, avec mon nom étranger, celui de ma mère, celui de mon grand-père incestueux, mon nom que personne n'arrive à prononcer. J'ai souvent envie de hurler et de dire :

— Je vous en prie, messieurs dames, appelez-moi Sappho Vachon, ou Sappho Laflamme, si c'est plus simple pour tout le monde. Si nous sommes incapables de ne pas nous enfarger dans le local, dans le comme-nous-autres. Appelez-moi Sappho Vachon, puisque nous refusons tout ce qui n'est pas étriqué, tout ce qui n'est pas prémâché par nos esprits bovins qui ruminent toujours la même chose. Ma fille s'appelle Lou Vachon. Cela vous convient ? Cela vous sied mieux ? Ma fille est un petit gâteau bien de chez nous, bien gras et très sucré, un petit gâteau au nom connu. Ma fille est une Vachon. C'est correct. Vous allez l'aimer ? Vous allez la considérer comme une des nôtres ? Lou Vachon de Shawinigan, cela vous paraît-il assez comme il faut ? Assez de chez vous, de chez nous ? Lou Vachon de Rouyn-Noranda, est-ce que c'est encore mieux ? On est tous des Vachon, oui ou non ? On est tous des petits gâteaux dégoulinants, au goût américain. Je suis une Vachon, Lou est une Vachon. Et tout le Québec à sa suite. Je suis, tu es, il ou elle est Vachon. Nous sommes des Vachon, ils sont des Vachon. Mais vous, vous n'en êtes pas. Vous êtes tout sauf des Vachon, parce qu'être une Vachon, c'est pas donné à tous et à toutes. N'est pas Vachon qui veut. *Chienne de vie*, comme dirait Antigone Totenwald. Raciste, le Québec ? C'est même pas cela. C'est la bêtise bon enfant, la gentillesse du colonisé. Il paraît qu'on aime les étrangers, parce qu'ils ont la peau colorée et que nos hivers sont si blancs. Ce sont des hommes importants qui disent cela. Mais il y a de quoi se foutre une balle dans la tête. Moi, je dirais une connerie pareille, je me suiciderais.

C'est pas raciste, le Québec, c'est tout simplement con. Mais d'une bêtise aussi grande qu'un pays. Appelez-moi Sappho Vachon, cela ira plus vite. Parce que je n'en peux plus d'épeler mon nom, comme si j'étais une extraterrestre. Apostasias, cela s'écrit comme cela se prononce : V-A-C-H-O-N, V-A-C-H-I-E-R. C'est pas compliqué pourtant. J'en ai marre de l'ignorance et de cette culture régressive où l'on articule à peine trois sons. L'autre jour, à l'hôpital, lors d'une visite de routine, on m'a demandé si Savannah-Lou, c'était un nom grec. Athéna, Demeter, Perséphone, Pénélope ou encore Hélène, peut-être. Même Sappho, j'accepterais que l'on demande, me demande pour la millième fois, si c'est grec. Mais Savannah-Lou, je ne vois pas. Vachon est sûrement un nom grec, mais Savannah-Lou, je ne sais pas. Cela me semble plutôt autre chose, mais quoi ? À la question de l'origine, au Québec, il ne faut pas être le gagnant, mais moi, je suis toujours la perdante. Qu'est-ce que je peux répondre, qu'est-ce que je peux dire à ces cons qui me traitent de néo-québécoise ? Qu'est-ce que je peux crier à ces abrutis, qui ont écrit dans les journaux que l'Antigone dans *Ça va aller* de Laflamme est en fait, dans la vraie vie une néo-truc-truc, que Sappho Apostasias représente l'ethnicité à son meilleur ? J'ai envie de leur cracher à la face. J'ai envie de leur vomir dessus, à ces dinoso-Québécois, à ces vieux-vieux-vieux Québécois. Néo-Québécoise, moi ? Je suis arrivée ici à deux mois. Ça fait quarante et un ans que je suis là, avec eux, mais je suis encore néo. Quand j'aurai 90 ans, ils parleront encore de ma néo-québécitude. Mais j'ai compris, bien compris. Je ne leur demande pas la permission pour être québécoise. Je le suis, même si cela les emmerde et Lou Vachon, itou. Les autres nations, ils n'ont pas des néo-machins. Mais au Québec, on est toujours néo. J'ai carrément envie de les envoyer se faire foutre. Carrément envie de les enculer avec un néo-bâton ou quelque chose du genre. Il n'y a que Lou Vachon qui parvienne à me faire sortir de cette colère de néo-Québécoise, mon cul. Il n'y a que Lou-Vachon, Savannah-Québec, pour m'aider à continuer à les haïr, mais seulement un peu chaque jour.

Savannah, c'est une ville du sud des États-Unis. Savannah, c'est une chanson de Nina Simone, Savannah, c'est un livre de Marguerite Duras, et c'est un char américain, un char d'assaut pour partir à la conquête du Far West. Et Lou, et Lou, c'est le prénom de Salomé. Mais c'est surtout un animal qui vit en meute, et qui fait ouh, ouh... Parce que les noms, c'est pas juste référentiel.

C'est pas à chercher dans le dictionnaire. C'est pas juste ethnique, les noms. Ce sont aussi des rêves, ceux que d'autres ont faits pour nous. Des noms, cela ne veut rien dire, vraiment. C'est pas juste la marque du pays d'où tes parents viennent. On n'est pas les Nations unies. On est aussi des rêves faits chair. Des noms, cela évoque. Un nom, c'est toujours mythique, c'est toujours grand, si on ne cherche pas seulement à voir le plus minable en lui. Si on ne cherche pas à y mettre le plus petit, le plus régional. Mais personne ne comprend cela. C'est pourquoi je m'appelle Vachon, parce que cela évoque le terroir, parce que cela sent le fumier de chez nous.

Alors, Laflamme... C'est un beau nom d'ailleurs qu'il a celui-là. Un nom séducteur, un nom incroyablement évocateur, parce que justement au ras des pâquerettes. Un nom du dictionnaire. Alors Laflamme, c'est le père qui n'a pas envie de nous reconnaître, qui se tient en retrait, mais qui est quand même là d'où l'on vient, et peut-être même là où l'on va. Laflamme, avec lui, on ne se gêne pas. On s'en réclame un peu partout. Il est publié chez L'Art-encore-l'art, dans ce doux pays qu'est la France, et ça, ce n'est pas n'importe quoi. De notre père, on est fiers. C'est comme cela, on n'y peut rien. On aimerait bien qu'il nous donne de temps en temps un signe de reconnaissance, qu'il passe un petit commentaire sur X, sur Y. Qu'il dise d'un tel ou d'une telle : « Voici ma relève, voici le futur génie québécois. » Laflamme, lui, se tait, Laflamme, lui, se retire du grand jeu. On a l'habitude du père silencieux, on est au Québec. On est dans le vide. Aquin, lui, c'est autre chose. Aquin, on est ses petits bâtards, parce que franchement, on n'arrête pas de faire dégénérer sa race. J'aime bien les bâtards. Je les préfère même aux chiens de race.

Mais là n'est pas la question. Aquin, c'est le père avec lequel on a vraiment peu en commun. Le père qu'on déshonore et sans aucune honte, le père que le simple fait de naître dans un Québec aussi mou, dans la débilité générale, trahit. Aquin, c'est le père qu'on assassine. Sans le moindre regret. Que cet homme se soit suicidé, juste après la prise de pouvoir par le Parti québécois, tout le monde s'en tape. Que cet homme ait écrit des pages magnifiques sur le destin du Québec, on n'en a rien à faire. C'est bon pour le cégep, ou pour les universités, pour les gens qui se prennent la tête, pour des gens qui prononceront les noms étrangers correctement et quand ils verront le mot Nietzsche sauront de quoi il s'agit. Aquin, c'est bon pour les pavillons des universités. Pas assez bon pour L'Art-encore-l'art, ni même pour une rue à Chicoutimi. Que les écrivains du Québec, que nos pères se suicident, se cachent ou aillent vivre ailleurs, comme Anne Hébert, c'est bien fait pour notre gueule. Que le Parti québécois, dans sa campagne référendaire, s'appuie sur les écrivains les moins subversifs, les moins inspirés, les plus ennuyeux, c'est tout à fait comme il faut. C'est ce qui nous appartient. Parce que de père spirituel ou pas, ici, je ne suis pas sûre qu'on en mérite. Je ne suis pas du tout certaine qu'on n'ait pas précisément la part qui nous revient. C'est-à-dire la part même pas maudite...

Je crois très fort qu'on reçoit ce qui nous est dû. Et que si un jour, on veut plus, si un jour, on veut mieux, va falloir qu'on se bouge un peu le cul. Va falloir réfléchir par deux fois avant de dire des énormités. Mais ici les gens disent n'importe quoi, parce que la parole ne vaut rien. La parole est ridiculisée d'avance. Il n'y a plus que la grammaire qui compte. Dans ce pays, on est obsédé par la faute d'orthographe. Peu importe si l'on débite des conneries, si l'on ne pense pas plus loin que le bout de son nez, l'important est d'écrire correctement, syntaxiquement les bêtises que l'on répète. Plus personne ne pense au Québec, et au lieu de former des premiers de classe en dictée, il serait temps de produire des philosophes, des écrivains. Il serait grand temps qu'un vent de pensée nous éloigne du pire, nous soulève vers le large.

Je n'ai aucun désir que ma fille passe à un *Bouillon de culture*, aucun désir qu'elle fasse la dictée de Pivot, aucun désir du pire. J'ai envie qu'elle réfléchisse à ce qui n'est pas encore, qu'elle invente ce qui viendra, qu'elle complote contre le banal et qu'elle réintroduise la faute d'orthographe, la faute de goût et le mauvais accent. J'ai tout repensé. Lou va apprendre d'autres langues. Elle ne va pas se claquemurer entre le français et l'anglais. Elle va apprendre à la triturer, sa langue, à la frotter au corps de l'autre. Elle va célébrer la folie du langage. Elle va aimer Joyce et Guyotat. La langue qui rugit, qui s'affole, qui devient folle. Elle ne va pas respecter le français. Elle en a déjà marre du français respecté, du français rance, du français confit. Elle ne sera pas toujours fidèle à sa langue. Le français, elle le hurle, le vocifère. On en crève d'être fidèles. J'ai pas reviré fédéraliste, c'est pas ça... Ce serait trop simple, ce serait trop facile. Et puis d'abord, le monde n'est pas divisé comme cela, seulement comme cela. Entre deux clans complètement minables.

Le Québec, c'est tout pour moi, j'y ai assez souffert, j'y ai assez versé de larmes. Mais je ne suis pas du genre à rêver d'un pays où tout le monde aurait le droit d'être con. Je veux plus. Je veux l'impossible. Pas pour moi, pour ma louve. Pour ma petite louve qui est en train de grimper fièrement aux barreaux de l'échelle qui monte à la glissoire. Qu'elle est jolie, ma fille... Je suis venue pour foutre la merde, et je ne me suis pas gênée. Je ne me suis pas gênée et ma fille ne se gênera pas. Je suis une mélancolique. Je suis quelqu'un qui se noie dans l'entre-deux. J'ai toujours hésité entre la vie et la mort, et vraisemblablement, je viens de me décider. Je sais où je dois me tenir. J'ai mis au monde un écrivain. La fille d'une interprète et d'un grand auteur québécois aura tout pour réussir. Surtout qu'elle n'aura pas de parents. Elle aura une origine, sans héritage. Et son origine, elle pourra la détruire, la manier au besoin. Elle pourra nous cracher dessus à son papa et à moi. Lazare-la-mort veillera sur elle un temps. Et puis, elle continuera son chemin seule. Je sais que je vais me suicider. Je ne peux que me suicider, pour en finir avec le Québec, pour en finir avec moi. Et ce sera pareil au moment de mourir. Je plongerai dans la mort avec force, avec foi.

Je quitte ma totote-armure, je claque la porte de la voiture. Je vais chercher ma fille chérie, mon amour. Je dois lui apprendre à m'oublier.

8

Ma fille,

Je ne me laisse pas le temps de penser. Je t'écris aujourd'hui à toute allure. Je n'ai plus le choix : c'est comme cela. J'y vais. Je me coule dans ce que je crois être mon destin. Je me moule un masque mortuaire. Celui du Québec, de mon Québec bien mort. Je pars... Je laisse l'avenir à ceux qui peuvent y croire. J'en finis avec la comédie que je suis. Je vais prendre la pose de la mort. Je dégage. Vite fait, bien fait. Je te laisse la place.

Cela tourne dans ma tête. Cela tourne depuis des années. Je me suis fait mon cinéma. Des images virevoltaient. Et je n'avais pas le temps de les attraper ou encore de les repousser. Des images jouaient à cache-cache avec moi. Mais cela ne m'amusait pas. Kaléidoscope de couleurs, de photos et de sons. Je voyais tout et je ne comprenais pas. Et tout à coup, peu avant ta naissance, comme un miracle, je me suis mise à comprendre, je comprends. Toi, tu n'as pas à comprendre. Tu ne sauras pas ma détresse, tu ne sauras pas mon angoisse, tu ne connaîtras pas ma désespérance, mon absolue tristesse politique, ma lassitude. Ma si grande lassitude. Je pars. Je ne te lègue rien. Il n'y aura pas d'héritage. Il n'y a que des plans, de l'éducation et de la volonté... Une volonté de fer. Je n'ai pas existé. Tu n'as jamais eu cette mère. Tu ne connaîtras pas mes envies de suicide et mon Québec agonisant. Tu es simplement une tête chercheuse, une chasseuse d'amour absolu, une survivante à mes indifférents malheurs. Tu avances, et rien ne t'arrête, ni ma fatigue indicible, ni mes pleurs inopinés, ni mes crises de nerfs rentrées en moi, refoulées en hâte. Rien n'arrête ma fille, rien n'arrête le progrès de ta vie, la marche inéluctable de ta rage d'exister. Rien n'arrête le Québec et pas même mes espoirs blessés. Rien n'arrêtera Savannah-Lou-Marine. Ton amour du monde vient confirmer ma mort; ton amour est ma dernière folie. Ton amour est mon ravage.

En ce moment, ma louve, tu gobes et vides les flots de la vie, tu te tortilles comme une otarie, tu produis par tous ses orifices. Et tu n'arrêtes pas de couler, de t'écouler. Tu n'arrêtes pas de crier, de vouloir, de pousser vers la vie. Tu es vorace, ma fille, vorace du temps à venir, affamée du Québec qui saura te nourrir, que tu pourras faire grand, à ta mesure.

Ma fille, tu as tous les droits, et surtout celui d'épuiser ce pays, de le fatiguer à ta guise. Tu dois lui en faire voir de toutes les couleurs. Il te résiste à peine. Il est à toi. Ta mise au monde le consume. Ta venue au monde est fulgurance. Et déjà, la connerie abdique. Tu es advenue parmi nous comme un coup de foudre dont je ne me remettrai pas et qui a carbonisé tout en moi. Ma fille, tu as décidément tous les droits. Et même celui de rire, au milieu de mes flots de larmes. Oui, ma Lou, souris-moi, nous ne serons pas sœurs dans la douleur de cette vie; c'est moi qui raflerai tous les malheurs, c'est moi, je te le jure, qui prendrai tous les coups. Il le faut bien, ma fille. Je comprends maintenant, et les blessures ancestrales, et les égratignures du temps, et même les dépeçages que nous infligent les jours. J'ai tout pris sur moi. Je ne te laisse même pas mon avenir. Oui, ma Lou, souris-moi, encore une fois, que je vogue sur le sens, que je me laisse bercer par le flot du sens de l'existence. Je n'ai pas vécu en vain. Tu es là. C'est immense. Et quand la nuit, je te veille, quand la nuit, je couve jalousement ton sommeil avide, quand la nuit, je protège la folle flamme de tes rêves, moi, la vestale du malheur, j'apprends à nier par toi ce que je fus.

J'apprends que je dois mourir. Pour que le temps soit tien. Pour que le temps redémarre sur les chapeaux de roues de l'oubli.

Je t'adore, ma fille, pour mon passé bien triste dont tu n'as que faire. Je t'adore, ma fille, pour ma souffrance à laquelle tu n'auras pas droit. Je t'adore, ma fille, pour les heures d'horreur auxquelles tu ne peux plus te raccrocher, sur lesquelles tu n'as pas à te déchirer.

La vie est un festin cannibale. La vie est une fête féroce. Elle s'appelle Savannah-Lou.

Savannah-Lou, ma fille, cette nuit, la dernière, tu m'es apparue en rêve, telle qu'elle sera un jour, prémonition spectrale d'elle-même. Tu étais le Québec, le Québec de mes rêves, celui dont je ne suis pas porteuse. Celui que je ne peux faire advenir. Celui dont j'ai avorté tant de fois. Mon amertume est trop vaste. Mon désespoir, trop vain. Tu m'es apparue, mon ange, afin de rendre ma mort plus douce, afin de mettre du baume sur mon cœur meurtri. Te souviendras-tu un jour de cette apparition, de cette visite nocturne que tu me fis, la veille de ma mort ? Je souhaite bien que non. Tu oublieras jusqu'à mon nom. Ma fille, tu m'es apparue pour m'aider à traverser cette épreuve, l'épreuve du suicide toujours raté. Tu avais l'air pressée, pressée de retourner dans tes rêves à toi. Dans tes rêves de suçons au melon d'eau, de chiens géants et de peluches kaléidoscopiques. Ma fille, tu es venue me tenir la main, dans la douleur folle, dans la douleur farouche qui m'attend. La mort sera blanche. La mort ne sera rien. Je n'aurai jamais existé.

Cela, je ne l'ai pas compris tout de suite mais tu étais là, mon spectre, le spectre de ma mort.

J'en ai marre des fantômes, ma fille, t'ai-je dit. Je ne vois pas de quoi il s'agit. Tu veux que je meure ? Mais je dois rester ici pour m'occuper de toi, non ? Tu veux venir avec moi, tu veux pouvoir dévisager ceux et celles à qui je parle la nuit, le jour, en leur hurlant de me laisser tranquille ? Je ne sais plus de quoi il est question. Savannah-Lou, ma chérie, tu m'es apparue, pour rien. Laissons les morts errer seuls. N'allons pas leur tenir compagnie. Je ne veux pas que tu connaisses ta grand-mère, la vieille Sofia-Médée, ta laide grand-mère tout édentée qui doit bien les embêter, les morts. Laissons-la pourrir seule de l'autre côté de la vie. On ne peut pas s'occuper de tout le monde, ma fille. Je me rendors. Chassons les fantômes, mon ange. Ouh, Ouh...

Mais tu t'accrochais à ta tétine, mon spectre. Tu voulais t'envoler vers le bonheur. Tu voulais dormir, mon enfant. Tu ne voulais plus hanter mes rêves. Tu voulais rêver aux doux chats de gouttière, à des rats dodus au soleil et à des champs de coquelicots rouge sang.

Allez, ma chérie, retourne dans tes rêves. Lou, ne joue pas aux fantômes. Seule la mort peut me hanter. Et Dieu sait qu'elle me hante. Pourquoi, cette nuit, a-t-elle ton visage ? Dois-je me laisser séduire par ton si beau visage ?

À ce moment précis, j'ai compris qu'il fallait que je parte, que je ne devais plus attendre. Je me devais d'exécuter la dernière phase de mon plan. À ce moment précis, Lou, j'ai compris que tu avais besoin de ma mort, que c'est cela que tu me demandais. Que ce serait cela ton bonheur. Je me suis réveillée, prête à tout.

Je me suis réveillée pour décider du grand sommeil.

Je pense que la vie, c'est d'aller chercher du sens là où il n'y en a peut-être aucun. La vie, c'est d'inventer des liens, de tricoter, de coudre la trame tout effilochée du recommencer, du tout commencer. La vie, c'est aussi de savoir en finir. En finir avec moi. En finir avec ce Québec raté que je porte en moi, avec cette vie minable que je suis. Je dois partir, tu as raison. Mettre un point final à tout cela. Laisser ma fille seule devant la nouveauté de l'avenir, devant l'impensable des jours à venir. Ne pas lui transmettre ma mélancolie et les tristesses de l'histoire. J'ai fait ce que j'avais à faire. J'ai enfanté la fille de Robert Laflamme. J'ai mis au monde l'écrivain québécois du vingt et unième siècle. Je peux me faire sauter le caisson en pleurant sur Aquin. De moi, on en a soupé. De moi, on n'a que faire.

Chaque jour, ma fille, tu grandis. Chaque jour, ma fille, tu me pousses. Aujourd'hui, encore davantage, tu m'exhortes à ma fin.

Et je ne déconne pas. Je n'ai jamais déconné; j'ai toujours dit juste, j'ai toujours dit vrai. Mais je ne veux pas, Lou, que tu m'entendes. Je veux lui fermer la gueule à la vérité. Je veux que la bouche de l'avenir se taise à jamais. Je vais devenir silence. Je ne veux pas, ma fille, que tu saches la vérité. La vérité sur mon histoire, sur ma vie de néo-Québécoise attardée, la vérité sur les mensonges d'une nation qui me crève le cœur. Je ne veux pas, ma fille, que tu m'entendes. Tu m'entends ? Je veux que tu sois bercée par le grand air de l'insignifiance mondiale, par les refrains de la bêtise collective. Je veux que tu avances. Sans douleur, sans passé. Que tu ne deviennes surtout pas comme moi. Je veux que tu sois le plus grand écrivain québécois. Comme ton père. Mais autrement. Je ne veux pas que tu ressembles à ta mère, que tu me ressembles à moi, la douleur québécoise. Moi, la fin de cette douleur-là... Tu n'as rien d'Hubert Aquin, mon enfant. Tu ne dois pas t'inscrire dans cette lignée-là. Tu n'auras pas à connaître le suicide. Tu es le commencement des commencements. Et si même Lazare est de mon avis, c'est dire combien j'ai raison. C'est que je ne déconne pas. Et je ne déconne pas. Je n'ai jamais déconné; j'ai toujours dit juste, j'ai toujours dit vrai... De ma douleur, bientôt, plus rien ne restera. On aura oublié cette souffrance bien de chez nous, cette souffrance néo-québécoise de Ville d'Anjou.

Bientôt, on aura tout oublié, et c'est cela que je veux: que l'on se souvienne de m'oublier, comme le dit une chanson de Gainsbourg. Que l'on se souvienne d'oublier les idéaux. Que cela se taise, que cela en finisse. Qu'on lui boucle la gueule au Québec de mes amours, qu'on le baîllonne, et qu'on recommence autre chose comme si de rien n'était. Si on meurt comme on a vécu, on meurt aussi pour ce que l'on ne peut vivre.

Ma fille, écoute-moi... Il va falloir que tu t'accroches à la pensée, à la grande pensée. Il va falloir que tu t'accroches à la vie, au génie. Moi, je ne pouvais pas. Moi, je ne croyais plus. Plus à rien, sauf à toi. Il y avait quelque chose de cassé en moi. Quelque chose d'irrémédiablement triste. Il va falloir que tu t'accroches aux choses, aux êtres, que tu croies à tout ce qui me semblait une étrange comédie. Y croire encore. Y croire toujours. Lire.

Aimer. Haïr. Et Dieu que c'est fatigant haïr, mais c'est encore ce qu'il y a de moins con à faire ces temps-ci, de par chez nous. C'est ce qui est encore le moins déprimant. Le moins inutile. Il va falloir que tu t'accroches à la vie. Moi, j'ai seulement appris à m'en décrocher.

Il y aura mille façons pour toi de te battre. Tu t'en prendras plein la gueule. Mais tu continueras à avoir raison, quoi qu'il arrive. Raison de ne pas dire comme tout le monde, de ne pas dire ce que tous les autres disent. Tu pourras te taire aussi, ne plus rien dire jamais. Les laisser parler, ceux qui ne disent que des conneries. Il y aura ton silence de combat. Et cela, c'est Laflamme, ton père, qui nous le dit. Moi, je ne peux pas. Il fallait que je m'ouvre la gueule. Il fallait que je dise la vérité, toute la vérité. C'était ma seule défense. C'est pour cela que je gueulais sans cesse. Par pure défense. Pour tout montrer. C'est pour cela que je vais en finir avec moi-même. Pour hurler une dernière fois. Ma fille, tu n'auras plus besoin de crier aussi fort. Tu pourras t'éclater la tête dans le parc de Villa-Maria, comme ton faux parrain, Umberto, ou encore mourir un peu plus vieille que Cioran, tout en continuant jusqu'à la fin à cracher sur la vie, tout en continuant jusqu'à la dernière parole à te dégoûter de l'absurdité d'exister. Tu décideras. Ton destin, tu l'écriras dans les mots que toi-même tu auras choisis. Tu ne seras pas une héroïne dont la vie est déjà toute écrite. Tu t'inventeras. Il y aura mille façons pour toi de lutter. Tu trouveras. Là-dessus, chacun doit mener son combat comme il l'entend. Comme il peut. On ne choisit pas ses armes. Elles se retrouvent un jour dans tes mains et tu sais tout à coup que tu dois t'en servir. On ne choisit pas ses armes. Ni l'arme de son suicide.

Moi, j'ai fait ce que j'ai pu. J'ai essayé de rester en vie aussi longtemps que j'ai pu. Et j'ai eu raison. Tu es là et ton existence fait danser la vie. Moi, j'ai essayé fort de continuer mais ma tâche est accomplie. J'en ai marre d'être celle qui crie. Je vais mourir pour en finir avec ma haine. Je vais mourir. Je ne veux pas que tu meures, que les autres meurent. La mort, ça pourrit tout. Cela nous gâche l'existence. Cela nous fait vraiment chier... Mais moi, je vais mourir. Je vais devoir revoir Sofia-Médée et cela, franchement, cela me déplaît. Je me fais une raison. Aquin viendra peut-être m'accueillir dans l'au-delà.

On ne choisit pas ses morts.

Je te souhaite de vivre au Québec, mon enfant. Je te souhaite de pouvoir rester dans ce pays maudit où ta mère a fait pousser ses racines pour que toi, tu puisses y vivre sans remords. Une vraie Québécoise, ça s'exile de temps à autre, ça crache sur son pays. C'est ça que j'étais, une vraie Québécoise. T'as pas besoin de l'être, toi. Ça va, ma fille, j'ai assez payé. Tu peux trahir : ton père, le Québec, et même ta mère, la sale immigrée, ta mère, l'ethnique au nom si difficile à prononcer. Ça va, ma fille, tu peux choisir de vivre ici, en paix dans un Québec qui n'est pas celui qui m'a fait souffrir... Mets ton tee-shirt Petit Bateau, acheté à Paris cet été au Printemps, mets ton tee-shirt Petit Bateau, et va voguer, mon enfant, sur les eaux du bonheur. Sur les eaux de l'oubli, l'oubli des origines. J'ai assez payé pour cela. La dette est remboursée. Et je dirais même que ce pays m'en doit une... J'espère mettre le point final à cette histoire québécoise, si ce n'est le poing dans la gueule au premier imbécile qui me traitera comme une étrangère. Le Québec fout-il la paix aux morts ? J'espère que l'on va en finir avec le Québec, en finir avec ces énormités.

En finir avec nos rêves. Ma fille, tu écriras ce que je ne peux même pas imaginer. Moi, je dois en finir.

En finir avec tout cela.

J'espère, comme Laflamme, que ça va aller, même si je ne sais pas où l'on va. J'espère seulement en finir et que tout cela tombe dans l'oubli. Que tu renies, un jour, ta mère. Que tu ne gardes pas la mémoire de cette dernière pionnière d'un Québec qui n'a jamais existé.

Tu es l'avenir que je n'ai jamais imaginé. De moi, tu n'as rien. De moi, tu ne sauras rien. Lazare détruira cette lettre. Ma mort est ton salut. Ma mort est ta force. Elle emporte les marques de mon existence. Ma mort te sauve. Je me résorbe dans la non-existence.

L'avenir s'appelle Savannah-Lou.

9

Ça va aller, ça va aller, ça ira, ça ne peut qu'aller. C'est cela que je me répète, c'est cela que je me dis toute la journée. Je m'accroche à ces mots. J'y adhère. En m'agrippant bien à eux, je dois pouvoir y arriver, atteindre mes objectifs. Faut que je m'accroche. C'est quand même pas bien difficile. J'ai relu *L'Invention de la mort.* La dernière phase du plan est prête. Il suffit de l'exécuter. De suivre minutieusement toutes les indications que je me suis données, toutes les notes qu'il a écrites. Y aller pas à pas. Ne pas faire d'erreur. Ne pas paniquer à la dernière minute, mais tenir le volant fermement. Garder les yeux ouverts jusqu'à l'ultime seconde. Ne pas reculer. Accélérer, et devant l'horreur accélérer encore. Refaire ses gestes à lui, suivre le mode d'emploi, me couler dans son histoire. Sa première. Là où il sema tout son génie. *Tout est fini.* Tout est déjà écrit. Et c'est pour cela que ça va aller. Parce que tout a été dit. Il n'y a plus rien. Seulement la suite logique des choses qui vont s'enchaîner sans encombre, qui vont s'emboîter les unes dans les autres, bien normalement, comme si elles se soumettaient d'elles-mêmes à une loi immuable, qu'elles se rangeaient en ordre dans la boîte du destin. Lou ne saura rien. Lazare la protégera. J'ai tout prévu.

Ça va aller, parce que justement ça ne va nulle part, et depuis longtemps. Ça va aller, parce que ça ne va plus du tout, mais alors absolument plus et que lorsque cela va si mal c'est que tout est fini. Ça va aller. Tout est fini. Ça va aller. Tout est fini. Laflamme. Aquin. Comme une palpitation, comme un battement de cœur. Un cœur qui trébuche. Ça va aller. Tout est fini. Dénégation. Suicide. En même temps. D'une seule balle.

Je prendrai la route de Beauharnois. Je n'irai pas errer dans les jardins de Villa-Maria. J'ai choisi ma mort. Ce n'est pas la sienne. Pas celle d'Hubert le Magnifique. C'est celle qu'il a écrite. Ce n'en est que la répétition imparfaite et ratée. Il n'y aura pas d'épiphanie, il n'y aura rien. Pas de souvenir, pas d'avenir. Rien. Je vais rater ma mort. Je vais tout gâcher. Tout foutre en l'air. Et assassiner mes idéaux. Je vais me précipiter dans le fleuve. Je vais faire plouf! Je vais écrire le mot fin. Mais cela ne sera pas fini. Je pourris tout, je vous le dis. Même ma fin, même les apothéoses. On va encore me sauver des eaux. On va encore m'épargner la mort. Tout sera donc fini. Comme je l'avais prévu. Mais autrement.

— Vous l'avez échappé belle, madame. On vous a vue partir dans le fleuve... Ça va, madame, ça va?

— Ça va aller.

OUVRAGE RÉALISÉ PAR
LUC JACQUES, TYPOGRAPHE
ACHEVÉ D'IMPRIMER
EN SEPTEMBRE 2002
SUR LES PRESSES DE L'IMPRIMERIE MARC VEILLEUX
BOUCHERVILLE (QUÉBEC)
POUR LE COMPTE
DE LEMÉAC ÉDITEUR
MONTRÉAL

DÉPÔT LÉGAL
1re ÉDITION : 3e TRIMESTRE 2002
(ED.01 / IMP. 01)